基础 吟诵 75 首

JICHU　　　　YINSONG　　　75　　SHOU

华　锋　主编

中原出版传媒集团
中原传媒股份公司

大象出版社
·郑州·

图书在版编目(CIP)数据

基础吟诵75首／华锋主编.— 郑州：大象出版社，
2014.10（2018.9重印）
ISBN 978-7-5347-7410-2

Ⅰ.①基… Ⅱ.①华… Ⅲ.①古典诗歌—中国—小学
—教学参考资料 Ⅳ.①G624.203

中国版本图书馆 CIP 数据核字(2014)第 117672 号

基础吟诵 75 首
JICHU YINSONG 75 SHOU

出 版 人	王刘纯
责任编辑	赵 菡　袁俊红
责任校对	马 宁　裴红燕　张迎娟
版式设计	王晶晶

出　版	大象出版社(郑州市开元路 16 号　邮政编码 450044)
网　址	www.daxiang.cn
发　行	全国新华书店
印　刷	河南文华印务有限公司
开　本	787mm×1092mm　1/16
印　张	18.75
字　数	280 千字
版　次	2014 年 10 月第 1 版　2018 年 9 月第 6 次印刷
定　价	39.80 元(含光盘)

若发现印、装质量问题，影响阅读，请与承印厂联系调换。
印厂地址　新乡市获嘉县亢村镇工业园
邮政编码　453800　　电话　0373-5969992　5961789

前言

国家教育部在全日制义务教育《语文课程标准》中明确推荐了1—6年级学生应该背会的75首古诗词。不少出版社适应需求出版了《小学生必背古诗词75首》,收到了良好的社会效果。但遗憾的是,这些书未把背诵古典诗词与传统的吟诵结合起来。为了帮助小学生更准确地理解和吟诵古诗词,我们编辑了这本《基础吟诵75首》。

一、学习吟诵的当代意义

吟诵是以一定的韵律和节奏等音乐手段来表现诗文情思和意境的有感情的读书方式,至今已有2000多年的历史。这种传统的基础性读书方式在近代的新文化运动中随着新学堂的兴起,与私塾一起退出了教育。在大力提倡继承和弘扬优秀传统文化的今天,我们非常有必要重新认识吟诵的意义与价值。

1. 吟诵有"学习诗文、创作诗文、修改诗文、欣赏诗文"四大功能。古人学习诗文、欣赏诗文不是像现代人一样一个字一个字地"读",而是类似于唱的"吟诵"。与今人以"思"进入诗文的方式不同,古人是通过吟诵的独特方式以声入情地进入诗文的。古代的诗文,特别是诗词,都带有浓重的情感色彩,只有用像唱一样的吟诵方式,才能正确地体悟诗文蕴含的情思。所以华锺彦先生说：吟诵与朗诵的不同在于，朗诵时读完了就完了，吟诵可以通过长吟把自己的情感抒发出来，听众通过吟者的长吟也能体会出诗文的文化内涵和吟者的思想情感。

与现代诗歌不同，古代诗词既是"创作"出来的，又是"吟诵"出来的。古代诗词十分讲究平仄，这就是诗词音乐性的表现，不像唱诗一样吟诵，就不能创作古代诗词，所以才有李白的"吟诗作赋北窗里"，才有杜甫的"新诗改罢自长吟"。王宁先生在《吟与唱》一文中说：吟诵"只是诗人对作品的一种有声的玩味。他们把一腔深情融注于诗篇之后，再发出来自心底的低吟，将自身置于诗的意境所带来的精神享受之中，让出自内心的诗意再回归到自己的心底"。古代诗词是我国传统文化的精华，要真正继承它，就必须学会诗词写作；而要学会诗词写作，不学会吟诵是不行的。

吟诵对修改诗词也很重要。现代人学作古诗词，却对古诗词的平仄感到麻烦，觉得不好掌握，实际上这是现代人丢掉吟诵所致。古代诗词的平仄规则是依诗词的声韵而定的，是吟诵本身自带的东西。学会吟诵就会发现诗词中的韵律问题。所以，吟诵也是修改诗词的重要方法。

其实，今天我们在学习吟诵的过程中，还可以学到许多古汉语常识和诗文写作常识，这对提高语文综合素质是相当有帮助的。

2.吟诵是培养青少年儒雅风范的重要手段。首先，吟诵的内容都是古代诗文中的精华，我们天天吟诵这些优秀作品，就自然会受到熏陶。吟诵时按照一定的韵律和节奏有感情地读书，这种玩味、涵咏是对读者心灵的滋养。其次，吟诵不是随随便便地阅读，而是认认真真地"悦"读，每个字读什么音，读第几声，在什么地方需要长吟，在什么地方不能长吟，这些几乎都是固定的。长期用固定的模式进行吟诵，吟诵者自然会受这种模式化行为的影响；而吟诵的节奏一般比较从容舒缓，讲究浅吟低唱，久而久之，举止稳重、行为儒雅的生活态度和行为习惯就会自然养成。

3.从文化传承的角度来说，吟诵是学习、继承、弘扬礼乐文化的重要手段。礼乐文化产生于西周初期，在长期的历史发展进程中凝结成了中华民族的精神基质，中华民族号称"礼仪之邦"亦是由此而来。吟诵与诗歌如影随形,亦是乐之一部分。今天学习吟诵,从某种角度来说,就是继承、弘扬传统的礼乐文化,这对于培养最基本的礼仪道德,克服浮躁情绪,无疑是有好处的。当然,不是说今天学会了吟诵,明天就可以脱胎换骨,变成一个新人。美好心灵的培育需要长久滋养,不是朝夕之功就能完成的。吟诵作为正确有效的读书方法,渗入日常生活之中,犹如春风化雨,会对青少年产生潜移默化的积极影响。

4.吟诵有助于增强记忆。因为吟诵极具音乐性,这种"乐"读,可以加深对佳词秀句、雄文雅韵的愉快记忆,较之没有韵调的死记硬背,事半功倍。许多老先生晚年仍然对自己儿时吟诵熟记的古诗文记忆犹新,就是很好的例证。

5.吟诵有益于身心健康。吟诵这种读书方式近似唱歌,这就与歌唱有着千丝万缕的联系。学习吟诵必须掌握一定的乐理知识,懂得适宜地呼吸、合理地用气。长期按照正确的方法吟诵,自然可以提升运气之感,增强肺活量,对鼻、喉、胸、腹都能起到按摩作用。因此,在星月之下,在朝晖之中,我们一边散步一边吟诵优美的诗词,岂不是既锻炼了身体,又陶冶了情操?

二、吟诵的几点原则

吟诵在我国虽然历史悠久,但"吟诵学"的开拓却始于20世纪80年代。经过专家研究,吟诵大致有以下几条原则。

1.吟诵要"平长仄短"。古代诗词主要遵循的是平水韵,现代普通话主要遵循的是中原音韵。平水韵与中原音韵的最大区别就是入声字。现代普通话已经没有入声字,中原音韵系统的四声是阴平、阳平、上、去。平水韵系统的四声是平、上、去、入,简化为平仄两大类,其中平就是平声,上、去、入均属仄声。明代高僧释真空有一首《篇韵贯珠集·创安玉钥匙捷径门法歌诀》:

平声平道莫低昂,上声高呼猛烈强;
去声分明哀远道,入声短促急收藏。

明白并践行这首歌诀,就能打好吟诵基础。字的音调有强弱、高低、长短之分。一般来说，平声字音最长，上、去、入声的字音依次缩短；字音的高低是平、上、去、入依次增高。这就形成了吟诵的基本规则：平长仄短。这种规则是由汉字四声的基本特点自然形成的，并不是人为规定的。

传统诗词非常讲究节奏和押韵，充分运用平仄四声，让这两类声调互相交错，形成诗词的节奏美，充分表达喜、怒、哀、乐的不同情感，从而取得抑扬顿挫、曲折变化的效果。韵的最大功用是把涣散的声音联络贯串起来，成为一个完整的曲调，如绳贯珠。押韵通过循环往复使诗词听起来紧凑流利。语言的节奏是自然的、直率的，常倾向变化；音乐的节奏是形式化的、回旋的，常倾向整齐。吟诵的节奏就是语言节奏与音乐节奏的调和。我们今天吟诵古代的诗文，必须遵守古代的四声。每个字都必须读准确，既不能读错四声，也不能读错字音。吟诵时凡是平声字都要长吟，仄声字都不能长吟，入声字更是要"短促急收"。"平长仄短"是吟诵时应该遵循的一个基本原则。需要明确的是，古代的平、上、去、入四声与今天的阴平、阳平、上声、去声不同。古代的平声，基本上就是今天的阴平和阳平，学术上称作"平分阴阳"；古代的上声、去声基本上与今天的上声、去声相同；古代的入声后来分化进了平声、上声、去声之中，学术上称为"入派三声"。所以，今天的平声、上声、去声中，还有为数不多的入声字。我们通过学习吟诵，可以掌握古人的四声，尤其是掌握入声字。为了帮助大家学习吟诵，我们在诗词每个字的上面注有汉语拼音，在每个字的下面标有平仄，凡是入声字都改换为蓝色以示区别。这样，我们学会吟诵这 75 首诗词之后，对古代的四声尤其是入声字就会有一定的了解。

2.吟诵时要注意节奏。诗词平仄的安排，基本原则是两平两仄交替出现，即"平平仄仄平平仄仄平平仄仄……"，这样的节奏适合我们生理、心理自然需要。如果是"平仄平仄平仄平仄……"，或者是"平平平仄仄仄平平平仄仄仄……"，又或是"平平平平仄仄仄仄平平平平仄仄仄仄……"，吟起来就会觉得别扭。所以，我国古典诗词的节奏是自然形成的，它让我们在吟诵诗词时感到轻松、舒适、愉悦，而不感到吃力、憋气。一般来说四言句式（平平仄仄或仄仄平平）、六言句式（平平仄仄平平或仄仄平平仄仄）

都遵循这种基本规则。常用的五言、七言各有四种句式。五言为"仄仄平平仄、平平仄仄平、平平平仄仄、仄仄仄平平",七言为"平平仄仄平平仄、仄仄平平仄仄平、仄仄平平平仄仄、平平仄仄仄平平"。这八种句式的组合便形成了格律诗的十六种格式。格律诗第一句最后一字可以押韵,也可以不押韵,偶数句的最后一字必押韵,而且要求押平声韵。词,绝大多数用长短句,其格式要比格律诗复杂得多,韵位的疏密也不一致,可以押平声韵,也可以押仄声韵。诗词平仄的安排,总体原则就是"刚柔迭用",取得整体声调的和谐。

吟诵必须准确地把握节奏,这是大家都知道的。吟诵诗词时,除了押韵的地方必须长吟,一般每一句都要有一处停顿,我们称这个停顿处为节奏点。这个节奏点一般都是在平声字处,与我们前面提到的"平长仄短"的规则是一致的。不同体裁的诗歌节奏点是不同的,四言诗的节奏点一般都在第二字和第三字之间,五言、七言古诗的节奏点不是很有规律,但其节奏点一定在平声字处。格律诗的节奏点最有规律,这是因为格律诗的形式最规范。格律诗有五言、七言之分,五言、七言又都可以分为绝句和律诗两类,每类又可以分为平起和仄起两种,这样格律诗就可以分为五言平起绝句、五言平起律诗、五言仄起绝句、五言仄起律诗、七言平起绝句、七言平起律诗、七言仄起绝句、七言仄起律诗八种。这八种格式举例如下(每种绝句选两首,律诗选一首):

(1)五言平起绝句:

池　上

白居易

小娃撑小艇,偷采白莲回。
仄平平仄仄　平仄仄平平

不解藏踪迹,浮萍一道开。
仄仄平平仄　平平仄仄平

闺人赠远

王涯

花明绮陌春,柳拂御沟新。
平平仄仄平 仄仄仄平平

为报辽阳客,流芳不待人。
仄仄平平仄 平平仄仄平

(2)五言平起律诗:

山居秋暝

王维

空山新雨后,天气晚来秋。
平平平仄仄 平仄仄平平

明月松间照,清泉石上流。
平仄平平仄 平平仄仄平

竹喧归浣女,莲动下渔舟。
仄平平仄仄 平仄仄平平

随意春芳歇,王孙自可留。
平仄平平仄 平平仄仄平

(3)五言仄起绝句:

登鹳雀楼

王之涣

白日依山尽,黄河入海流。
仄仄平平仄 平平仄仄平

欲穷千里目，更上一层楼。
仄平平仄仄　仄仄仄平平

塞下曲

卢　纶

月黑雁飞高，单于夜遁逃。
仄仄仄平平　平平仄仄平
欲将轻骑逐，大雪满弓刀。
仄平平仄仄　仄仄仄平平

(4)五言仄起律诗：

春夜喜雨

杜　甫

好雨知时节，当春乃发生。
仄仄平平仄　平平仄仄平
随风潜入夜，润物细无声。
平平平仄仄　仄仄仄平平
野径云俱黑，江船火独明。
仄仄平平仄　平平仄仄平
晓看红湿处，花重锦官城。
仄平平仄仄　平仄仄平平

(5) 七言平起绝句：

凉州词

王翰

葡萄美酒夜光杯，欲饮琵琶马上催。
平平仄仄仄平平　仄仄平平仄仄平
醉卧沙场君莫笑，古来征战几人回？
仄仄平平平仄仄　仄平平仄仄平平

饮湖上初晴后雨

苏轼

水光潋滟晴方好，山色空蒙雨亦奇。
仄平仄仄平平仄　平仄平平仄仄平
欲把西湖比西子，淡妆浓抹总相宜。
仄仄平平仄仄仄　仄平平仄仄平平

(6) 七言平起律诗：

长沙过贾谊宅

刘长卿

三年谪宦此栖迟，万古惟留楚客悲。
平平仄仄仄平平　仄仄平平仄仄平
秋草独寻人去后，寒林空见日斜时。
平仄仄平平仄仄　平平平仄仄平平
汉文有道恩犹薄，湘水无情吊岂知。
仄平仄仄平平仄　平仄平平仄仄平

寂寂江山摇落处,怜君何事到天涯。
仄仄平平平仄仄 平平平仄仄平平

(7) 七言仄起绝句:

芙蓉楼送辛渐

王昌龄

寒雨连江夜入吴,平明送客楚山孤。
平仄平平仄仄平 平平仄仄仄平平

洛阳亲友如相问,一片冰心在玉壶。
仄平平仄平平仄 仄仄平平仄仄平

九月九日忆山东兄弟

王 维

独在异乡为异客,每逢佳节倍思亲。
仄仄仄平平仄仄 仄平平仄仄平平

遥知兄弟登高处,遍插茱萸少一人。
平平平仄平平仄 仄仄平平仄仄平

(8) 七言仄起律诗:

闻官军收河南河北

杜 甫

剑外忽传收蓟北,初闻涕泪满衣裳。
仄仄仄平平仄仄 平平仄仄仄平平

却看妻子愁何在,漫卷诗书喜欲狂。
仄平平仄平平仄 仄仄平平仄仄平

白日放歌须纵酒,青春作伴好还乡。

仄仄仄平平仄仄 平平仄仄仄平平

即从巴峡穿巫峡,便下襄阳向洛阳。

仄平平仄平平仄 仄仄平平仄仄平

  判断是平起还是仄起的标准一般是看每首诗第一句的第二个字是平声还是仄声,一般是平声就是平起,是仄声就是仄起。这里的平、仄声,是按照古音的标准,不是现代汉语的标准。古诗文中有些字的读音与今天不同,平仄的划分也有所不同。为了保持诗词的节奏和音乐美,其中的关键字(位于二、四、六的字及韵字)读音要按照古音去读,如杜甫《春夜喜雨》中的"好雨知时节(jiè),当春乃发(fà)生",罗隐《蜂》中的"不论(lún)平地与山尖,无限风光尽被占(zhān)"。

  标准的格律诗,无论是绝句还是律诗,平起的,第一句的节奏点在第二个字上,第二句的节奏点在第四个字上,第三句的节奏点在第四个字上,第四句的节奏点在第二个字上,简称"二四四二",律诗重复一遍就可以了;仄起的,第一句的节奏点在第四个字上,第二句的节奏点在第二个字上,第三句的节奏点在第二个字上,第四句的节奏点在第四个字上,简称"四二二四",律诗重复一遍就可以了。词的吟诵比较复杂,也不易掌握,我们在这里就不再讨论了。总之,诗歌的吟诵一定要把握住诗篇的节奏点,从某种意义上说,把握节奏点的重要性不亚于把握平仄四声。

  3. 要掌握诗篇的情感基调。古人作诗填词都是有感而发,情感是诗词的灵魂。吟诵时要做到声情并茂,就是要体现出以声传情的诗词吟诵特点。例如我们非常熟悉的王昌龄的《出塞》与杜牧的《清明》,都是七言平起绝句,但是两首诗的情感基调完全不同,吟诵时情感的把握就完全不同。同样,李白的《赠汪伦》与张继的《枫桥夜泊》都是七言仄起绝句,二者的情感基调也是完全不同的,吟诵时情感的抒发自然也不同。我们这本书的最大特点是,每首诗词都作了吟诵提示,明确告诉读者为什么要这样吟诵。例如吟诵李白的《早发白帝城》,第一句为什么要起得中等偏上,第二句为什么要吟得轻快,第三句为什么要像蜻蜓点水一样一沾即开,最后几个字为什么要吟得实大声宏,我们在吟诵提示中都有说明。从这个角度来说,吟诵的过程就是学习、欣赏、把握诗篇情思的过程,把握不住诗篇的思想内容,掌握不住诗篇的情感基调,就难以把诗词吟诵好。

三、学习吟诵应该注意的几个问题

目前,吟诵界对怎样吟诵古诗文有许多说法,比如:有人主张吟诵应该注意汉字声音高低、轻重、强弱的不同;有人提出吟诵应该注意字正腔圆,依字行腔;有人强调吟诵时要特别注意起调的高低,因为起调的高低在一定程度上也会影响吟诵的效果;有人建议吟诵时最好配乐,并认为用古琴、洞箫伴奏效果最好;还有人说学习吟诵应该先学习腹式呼吸,学会了腹式呼吸才能更好地吟诵。

我们认为,如果作为吟诵研究,以上说法都有益于吟诵。但对于初学者来讲,没必要把吟诵搞得过于复杂。因为吟诵在传统教育中本来是十分简单的事情,是入塾即能的,搞得复杂,有悖传统。而且今天人们对吟诵十分陌生,如果把吟诵搞得很复杂,不仅会遮掩吟诵本来的样子,让不明就里的人更不知道什么是吟诵,还会让初学者更加茫然、无所适从。因此,我们重新提倡学习吟诵,必须注意以下几个问题。

1. 初学吟诵,要有耐心。吟诵已大范围失传多年,恍如隔代,青少年在学习时会因十分生疏而感到困难;加之大多数青少年喜欢节奏快的流行曲调,而吟诵的节奏比较舒缓,很难立即引起学习者的兴趣。所以,青少年在初学吟诵时,一定要有耐心,要逐渐培养吟诵的兴趣,这样才可以事半功倍,取得理想的效果。

2. 学习吟诵,入门要正,要做到纯粹。学习吟诵,一开始就要按照传统的方式去吟诵,正如学习书法,一开始必须临摹书法大家的正楷。吟诵作为一种读书方法,自古以来代代相传。虽然在传承过程中有些变化,但基本曲调、基本规则是比较固定的,必须恪守。学会基本曲调就可以套入同类诗词。例如,学会吟诵李白的《赠汪伦》,也就会吟诵李白的《望庐山瀑布》,以及所有的七言仄起绝句;学会吟诵王昌龄的《出塞》,就会吟诵李白的《早发白帝城》,以及所有的七言平起绝句。传统吟诵曲调节奏有基本套路,具有普适性与可复制性,容易推广,这是传统吟诵的一大特点,也是传统吟诵的一大优长。现在有些人动不动就自度新曲,还有人提倡以"唱"代"吟",这些做法只适合个人自娱自乐,要在青少年中推广,就会出现许多问题。因为无论是新吟唱还是自度新曲,都太个性化,不能套用去吟唱别的诗词。所以,我们初学吟诵时,一定要走传统吟诵的道路,不可误入歧途。

3.学习吟诵,宜先易后难。现存古代诗词,形式最为统一、吟诵时规则最为明确的就是格律诗。学习吟诵,从最规范的格律诗起步,就会显得简单、易学;学会吟诵格律诗后再学习吟诵较复杂的词等,就会顺利得多。小学生必背的75首古诗词大多数是格律诗,所以我们选其作为初级吟诵的内容。当然,这75首古诗词中也有一些不规范的格律诗,但只要认真阅读吟诵提示,就能学会正确的吟诵方法。总之,学习吟诵不能急躁,要从规范的格律诗入手,先易后难,逐步完善。

四、华氏吟诵调的特点

本书的吟诵基本上采用的是华调吟诵,华调吟诵因其创始人华锺彦先生而得名。华锺彦(1906—1982),辽宁沈阳人,毕业于北京大学,曾师从高亨、钱玄同、俞平伯等学术大师,并师从高步瀛(光绪二十年举人,桐城派吴汝纶的弟子)专学唐宋诗词及诗词创作,是我国当代最早抢救、整理、研究、传承吟诵的发起人之一。其吟诵的《敕勒歌》《登高》《芙蓉楼送辛渐》《宣州谢朓楼饯别校书叔云》等名作,流传甚广,吟诵界称之为"华氏吟诵调",可以作为学习吟诵的经典范本。本书所收吟诵调以华氏吟诵调为主,其特点有:

1.传承有序,脉络明晰。吟诵是我国传统的读书方法。在古代社会中,中国学术的演进都是在门派的别立中进行的,学术赓续极重统绪,传统的读书方法自然也各有传承。华锋先生的吟诵传自华锺彦先生,华锺彦先生的吟诵传自高步瀛夫子,高步瀛夫子的诗文受教于桐城派大儒吴汝纶夫子。本书吟诵曲调传承有序,师承脉络十分明晰。

2.具有学院派吟诵的特点。 主要体现在以下几个方面：

第一，以教学实践为本，始终坚持吟诵是读书方法，所有吟诵调都可以举一反三。华锺彦先生大学毕业后就走上了高校讲台，他的吟诵始终与教学有着密切的关系，他坚持吟诵就是一种读书方法，在吟诵中与古人做心灵的沟通。他的吟诵调虽然因诗而变，灵活丰富，但都可以举一反三，都可以服务于教学，服务于读书。

第二，有理论支撑，有论文，有专著。20世纪80年代，华锺彦先生开始研究吟诵的规律，撰写了一批重要的学术论文，奠定了华调吟诵的理论基础。本世纪以来，华锋先生在此基础上撰写了《吟咏学概论》及多篇论文，完善了华调吟诵的理论基础，《基础吟诵75首》是华调吟诵理论与实践相结合的产物。

第三，知人论世，华氏吟诵调注重对作者生平的了解，注重对作品背景的了解，注重对作品文化内涵的表现。在华调吟诵者看来，吟诵是读书方法，采用这种方法读书是为了更好地了解古人创作诗词时的文化心态，从而更好地理解诗词的文化意蕴，不是为吟诵而吟诵。所以华调吟诵最重视"声情并茂"，只有声情并茂地吟诵，才能达到吟诵的目的。

第四，注重细节的把握。华调的吟诵是服务于教学的，教学必须注重细节才能把诗人创作时的真实心态展现出来。例如同样一个"酒"字，在"潦倒新停浊酒杯""葡萄美酒夜光杯""绿蚁新醅酒"等诗句中，吟诵的轻重、高低、长短甚至四声都有所不同。同样，一个"烟"字在"风烟望五津""日照香炉生紫烟""大漠孤烟直""绝胜烟柳满皇都"等不同的诗句中，吟诵的高低、轻重、长短也都不相同。这就是华调吟诵的特点，我们要根据这个字在诗文中的位置去确定它的读音、长短、轻重、高低，这样才能更好地表现作品的情思内涵。

第五，切合格律诗的平水韵，有助于诗词创作。吟诵对于诗词创作至为重要，前面已有论述。华锺彦先生每创作出一首新的诗词，总是一边吟诵一边修改，几遍之后再誊抄一份作为定稿。所以说华调的吟诵紧扣平水韵，采用华调吟诵有助于诗词的创作。

第六，华氏吟诵调不受区域的限制。学习吟诵常会遇到语言使用的问题，例如粤语吟诵在广东地区大受欢迎，在闽南就很难推广，反之亦然。华调的学习与推广却不受此限制。2014年就有学人提出：华调吟诵不受区域的限制，既是通往普通话吟诵的桥梁，又保持了传统吟诵的特色。

第七，格律诗的吟诵是华调的强项。华锺彦先生在20世纪首次提出格律诗的写作有严格的格式，这些格式基本存在于格律诗的吟诵中。华先生是最早将格律诗吟诵腔格化的学者，他将格律诗分为如前所述的八种格式，吟诵界称此八种格式格律诗的吟诵为"华门八大调"。"华门八大调"为许多吟诵爱好者所喜爱。由于格律诗是我国古典诗歌的精华，《基础吟诵75首》中大部分都是格律诗，因此学好《基础吟诵75首》对于学习华调吟诵非常重要。

第八，华调吟诵具有艺术感。(1)简洁明快，易学好听。华调以简洁明快著称，没有过多花腔，规律性强，所以学起来容易上口，即使是没有什么音乐基础的学生，学习"华门八大调"也没有问题。掌握了"华门八大调"，格律诗的吟诵基本上就可以按其套路同类框套。从曲调上看，华调还有一点"唱"的成分，所以很好听，这也是许多吟诵爱好者愿意学习华调的原因之一。(2)端庄大气，节奏感强。许多老人把吟诵作为哄小孩的手段，而华调是把吟诵作为一种知识传播的手段。"师者，所以传道受业解惑也"，讲课自然要讲古典文学中最优秀的作品，所以老师必须认真地讲，严肃认真地吟。内容和形式都要求吟诵的人须端庄大气，吟诵的效果也自然是端庄大气，不能像唱小调那样哼哼唧唧，而要紧扣诗词的内容，或郑重严肃，或随意自然，或低低浅吟，或潇洒长吟，无不符合作者的思想感情，符合作品产生时的文化背景。华调强调，诗词一般都是一句只有一个节奏点，这就使得华调的吟诵节奏十分鲜明，而且十分大气。(3)古拙本色，书卷气浓。华调源远流长，虽然多有变化，但基本不添加现代化元素，这使得华调基本上保持古拙本色的特点。我们细听华锺彦先生的吟诵，能感到浓浓的书卷气扑面而来，这是因为这种吟诵能诠释诗人的生平经历和思想感情，能诠释诗人创作这篇作品时的文化背景。

吟诵在传统社会中本来不是什么学问,但到了现代几近中绝。重新挖掘整理,需要经验的积累,这正是我们所要做的。

本书如有错误、不当处,非常愿意接受方家的批评教正。

说 明

1. 本书各篇内容一般分为古诗词原文、作者介绍、注释、导读、吟诵提示几个部分。其中古诗词原文包含汉语拼音标注的原文和按照平水韵标注的原文两种,前者供一般阅读时使用,后者供学习吟诵时使用。

2. 为方便读者吟诵,每首诗词都标注有平仄符号:蓝色字为入声,○为平声,●为仄声,△为平声韵,▲为仄声韵,/为节奏点。

3. 75首诗词的拼音按现代汉语标注,吟诵是按平水韵,古今读音不同的,在吟诵提示里注明。

4. 古体诗、近体诗和词的用韵均有所不同,所以并没有标明韵部,以免引起混乱。

5. 凡是结构相同、意境相近的,可用同一个吟诵调来吟诵,也就是"一调多诗"。以此类推,举一反三。

6. 在遵循吟诵基本规则的基础上,同一首诗可以用不同的吟诵调来吟诵,也就是"一诗多调"。本书所附录音,只是众多吟诵调之一。

7. 诗词字句因版本不同而有异,本书以择善为取舍。

目录

1. 江南 …………………… 1
2. 长歌行 ………………… 4
3. 敕勒歌 ………………… 8
4. 咏鹅 …………………… 12
5. 风 ……………………… 15
6. 咏柳 …………………… 18
7. 回乡偶书 ……………… 21
8. 凉州词(黄河远上白云间)
   ………………………… 24
9. 登鹳雀楼 ……………… 28
10. 春晓 …………………… 31
11. 凉州词(葡萄美酒夜光杯)
    ………………………… 34
12. 出塞 …………………… 37
13. 芙蓉楼送辛渐 ………… 41

14	鹿柴 ………………………………	45
15	送元二使安西 ……………………	49
16	九月九日忆山东兄弟 ……………	52
17	静夜思 ……………………………	56
18	古朗月行(节选) …………………	60
19	望庐山瀑布 ………………………	64
20	赠汪伦 ……………………………	68
21	黄鹤楼送孟浩然之广陵 …………	71
22	早发白帝城 ………………………	74
23	望天门山 …………………………	78
24	别董大 ……………………………	81
25	绝句(两个黄鹂鸣翠柳) …………	84
26	春夜喜雨 …………………………	88
27	绝句(迟日江山丽) ………………	92
28	江畔独步寻花 ……………………	95
29	枫桥夜泊 …………………………	99
30	滁州西涧 …………………………	103
31	游子吟 ……………………………	107
32	早春呈水部张十八员外 …………	111
33	渔歌子 ……………………………	115
34	塞下曲 ……………………………	119
35	望洞庭 ……………………………	123
36	浪淘沙 ……………………………	127
37	赋得古原草送别 …………………	130

38	池上	135
39	忆江南	138
40	小儿垂钓	141
41	悯农（一）	145
42	悯农（二）	149
43	江雪	152
44	寻隐者不遇	156
45	山行	160
46	清明	164
47	江南春	168
48	蜂	172
49	江上渔者	175
50	元日	178
51	泊船瓜洲	182
52	书湖阴先生壁	185
53	六月二十七日望湖楼醉书	189
54	饮湖上初晴后雨	193
55	惠崇春江晓景	196
56	题西林壁	199
57	夏日绝句	202
58	三衢道中	206
59	示儿	210
60	秋夜将晓出篱门迎凉有感	214
61	四时田园杂兴（七）	218

62 四时田园杂兴（一）…………… 222

63 小池 ………………………… 226

64 晓出净慈寺送林子方 ………… 230

65 春日 ………………………… 234

66 观书有感 …………………… 238

67 题临安邸 …………………… 242

68 游园不值 …………………… 246

69 乡村四月 …………………… 250

70 墨梅 ………………………… 254

71 石灰吟 ……………………… 258

72 竹石 ………………………… 262

73 所见 ………………………… 265

74 村居 ………………………… 269

75 己亥杂诗(九州生气恃风雷)
………………………………… 273

● 后记 ………………………… 277

1 江 南[1]

汉乐府

江南可采莲,
莲叶何田田![2]
鱼戏莲叶间。[3]
鱼戏莲叶东,
鱼戏莲叶西,
鱼戏莲叶南,
鱼戏莲叶北。

江 南

汉乐府

江南／可采莲，
○ ○ ● ● △
莲叶何田／田！
○ ● ○ ○ △
鱼戏莲／叶间。
○ ● ○ ● △
鱼戏莲／叶东，
○ ● ○ ● ○
鱼戏莲／叶西，
○ ● ○ ● ○
鱼戏莲／叶南，
○ ● ○ ● ○
鱼戏莲／叶北。
○ ● ○ ● ●

注释

[1]《江南》:汉乐府古辞,在宋人郭茂倩《乐府诗集》中属于"相和歌辞"的"相和曲",当是出于汉代民间街陌讴谣,歌时以丝竹相和。

[2]田田:莲叶茂密饱满的样子。

[3]戏:嬉戏,游玩。

导读

本诗主要描写江南水乡采莲的情景以及采莲人轻松欢乐的情绪,展现了一幅我国南方水乡的采莲图:盛夏季节,水波摇曳,荷花吐香,一群采莲女子划桨荡舟,像水中的鱼儿一样,穿行在碧波和莲叶之间。诗的前两句写了江南水乡无限风光和采莲人的快乐,茂密饱满的莲叶中小舟穿行,远远望去,宛如人在画中游。第三句着意写莲叶间自由自在游动的鱼儿,似乎连采莲人也感受到了鱼儿的快乐。后四句只在"鱼戏莲叶间"换一个字,但在众人齐唱的和声中,却传达出了动人的浓郁气氛,将采莲人的活泼轻快表现得淋漓尽致。全诗语言明朗朴素,拥有难以模仿的单纯、稚拙,独特而又新鲜。

吟诵提示

这是一首乐府诗,前后唱和,前三句是唱,后四句是和。总体格调清新活泼,欢快愉悦。诗句回旋反复,恰当地表现出一幅江南"采莲图",适合用轻快跳跃的节奏来吟诵。

前三句的"莲""田""间"三字都应适当拖长,以表现喜悦自豪的情感。后四句鱼戏四方,展现出清新明快的动感画面。吟诵时,可以将"东""西""南""北"四字的音长灵活处理。前两个平声字——"东""西",略长吟,以显示鱼儿的悠然自得;"南"字长吟,结尾的入声字"北"开口即收,戛然而止,前后声音的长短,一动一静形成强烈对比。全诗在"北"字的突然停顿中,给听者留下想象的空间,仿佛鱼儿突然静止不游了,此时无声胜有声!

2 长歌行（cháng gē xíng）[1]

汉乐府（hàn yuè fǔ）

青青园中葵，[2]
朝露待日晞。[3]
阳春布德泽，[4]
万物生光辉。
常恐秋节至，[5]
焜黄华叶衰。[6]
百川东到海，[7]
何时复西归？
少壮不努力，
老大徒伤悲。[8]

长歌行

汉乐府

青青／园中葵，
朝露待日晞。
阳春／布德泽，
万物生光／辉。
常恐秋／节至，
焜黄／华叶衰。
百川／东到海，
何时复西／归？
少壮不努力，
老大徒伤／悲。

注释

[1]《长歌行》：汉乐府古辞，在《乐府诗集》中属于"相和歌辞"的"平调曲"。歌的声音有长有短，因而有"长歌行"，又有"短歌行"。行，是古代诗歌的一种体裁。

[2]葵：葵菜，冬葵，又名冬寒菜。

[3]朝露：早晨的露水。晞：晒干。

[4]阳春：暖和的春天。布：布施，分给。德泽：恩惠。

[5]秋节：秋天。

[6]焜黄：指枯叶子的颜色。华：花。

[7]百川：许许多多的河流。

[8]老大：上了年纪。徒：空。

导读

人们常说：一日之计在于晨，一年之计在于春。人一生的成就要靠少壮时的努力。这首产生于两千年前的古诗，就是因为形象地表达了这个人生哲理而一直流传不衰。诗的开头先写沐浴朝露的葵菜在清晨阳光的照耀下熠熠生辉，接着写它健康成长是受了春天给万物带来生机的恩惠。然后，笔调一转，提醒人们，春夏过后，秋天来临，生命力的衰微必不可免，就像江河的流水无情东逝，它什么时候返回来过？自然而然地警示人们及时努力，抓住人生的大好光阴，而不虚度年华。这首诗虽然是说理之作，却纯用比兴，把艰涩的哲理表达得极为鲜明生动。

吟诵提示

这是一首五言古体诗，押平声韵，相对于格律诗而言，吟诵起来有一定难度。这首诗的总体格调生动鲜明,仿佛是一位饱经沧桑的过来人对年轻人讲述人生哲理,略带一些惆怅。第一句五个平声字,起调要徐缓,轻轻地吟;第二个"青"字适当长吟;"葵"是韵字,要长吟。第二句的"露"字重读;"日"是入声字,短促;"晞"字长吟,强调葵叶上的朝露被太阳晒干了。第三句"春"字长吟;"德""泽"两个入声字,开口即收,暗示青春短暂。第四句的"生光辉"是三平落脚,"光"字适当长吟,"辉"是韵字,要长吟,显示葵菜在清晨的阳光照耀下熠熠生辉。第五、第六句节奏适当加快,"秋"字长吟,有提醒的意思;"黄"字适当长吟,有强调的意思;"华叶衰"三五同声,"华"字适当重读,这里,"衰"读作 cuī,才能押韵,要长吟。第七、第八句"川"字适当长吟;"西"字略长吟;"归"字长吟,感叹流水无情,为后两句做铺垫。第九句连用五个仄声,要高声重读。末句"徒伤悲"三平落脚,"徒"字重读,"伤"字适当长吟,"悲"是韵字,要长吟,意在警示后人,一寸光阴一寸金。

3 敕勒歌[1]

北朝民歌

敕勒川,[2]
阴山下。[3]
天似穹庐,[4]
笼盖四野。[5]
天苍苍,
野茫茫,
风吹草低见牛羊。[6]

敕勒歌

北朝民歌

敕勒川，
● ● ○
阴山/下。
○ ○ ▲
天似穹/庐，
○ ● ○
笼/盖四野。
○ ● ● ▲
天/苍苍，
○ ○ △
野茫茫，
● ○ △
风吹草低/见牛羊。
○ ○ ● ○ ● ○ △

注释

[1]《敕勒歌》：北齐时期敕勒族的歌谣，原为鲜卑语，经过当时人翻译为汉语而流传，郭茂倩《乐府诗集》收入"杂歌谣辞"。

[2]敕勒川：敕勒是我国古代北方的少数民族之一，主要生活在今甘

肃、内蒙一带,以游牧为主。川:平原。

[3]阴山:山名,东西走向,大部分在今内蒙古自治区境内。

[4]穹庐:游牧民族经常使用的用毡做的圆顶帐篷。

[5]四野:四面的田野。野,这里可读为 yǎ。

[6]见:就是"现"的意思,读音也是 xiàn。

导读

这首民歌歌颂了北国草原的富饶、壮丽,抒发了敕勒人对养育他们的水土和游牧生活的无限热爱之情。诗篇以雄浑豪放的语言,将我们带入那辽阔空旷的大草原上,莽莽苍苍的天空,犹如一顶硕大无比的穹庐,笼盖无边的大地。"天苍苍,野茫茫"将大草原晴朗高远的天空和壮阔恢宏的大地展示在我们面前,让每个读者都能感受到祖国西北风光的独特魅力。"风吹草低见牛羊"是全诗的点睛之笔,写出了敕勒川水草丰盛,牛羊成群,衬托出生活在这里的人民富庶、平和、安详,表现了敕勒人对自己的家乡、对生活的热爱。这首民歌风格质朴、意韵真淳,用浅近明快的语言抒写了敕勒人的豪情。

吟诵提示

这是一首产生于大草原的少数民族民歌。大草原上天高地阔,人与人的交流不用像在狭小的空间里那样低语,而是有居高声远的特征。因此,吟诵这首诗歌不能像吟诵其他诗歌那样浅吟低唱,而应该引吭高歌。"敕勒川,阴山下"要起得高一些,才能把宽阔的原野气象展现出来,才能把诗人放牧敕勒川喜悦、兴奋的心情表现出来。"天似穹庐,笼盖四野"二句是全诗的高潮,更应该高歌长吟,把敕勒川一望无际的大草原风光、阴山下天高地阔的景象与敕勒人豪迈的性格表现出来。"下"与"野"押仄声韵。"天苍苍,野茫茫"二句要由高亢转低沉、苍凉一些。这样吟诵,既能使曲调有所起伏,让吟者有所喘息,更能展现诗人辽阔的视野,使人犹如听到诗人对大自然的咏叹:天那么高,有没有尽头?地那么阔,哪里是它的边际?最后一句又由对自然的沉思回到现实,看到成群的牛羊出没在草丛中,诗人喜悦异常,"风吹草低见牛羊"一句的吟诵也应该是由低沉转为高亢。只有这样吟诵,才能吟得抑扬顿挫,雄浑豪放,得其精神。

4 咏鹅

（唐）骆宾王

鹅，鹅，鹅，
曲项向天歌。[1]
白毛浮绿水，
红掌拨清波。

咏 鹅

（唐）骆宾王

鹅，鹅，鹅，
○　○　△

曲 项 向 天 / 歌。
●　●　○　△

白 毛 / 浮 绿 水，
●　○　○　●　●

红 掌 拨 清 / 波。
○　●　●　○　△

作者介绍

骆宾王（约638—?），唐代文学家。字观光，婺州义乌（今属浙江）人。相传他七岁能诗，赋《咏鹅》篇。他先后做过王府的属官、朝廷的学士，曾经被贬谪到西域，还被诬告进过监狱。武则天准备称帝期间，他参与徐敬业讨伐的队伍，军中檄文都出自其手笔。他在徐氏兵败后下落不明，有说他被杀，也有说他逃亡做了和尚。骆宾王与卢照邻来往唱和较多，二人又与王勃、杨炯一起被称为"初唐四杰"。

注释

[1] 项：脖子。

导读

相传这首诗是骆宾王七岁时所作,以一个儿童的眼光来写,充满童趣。第一句模仿鹅的叫声,让人似乎可以看见一群小孩子在池塘边跟着鹅的叫声欢快地嬉戏。第二句写出了鹅高歌时昂扬的姿态。后两句通过"白""绿""红"等颜色的描画,展现出了一幅色彩明丽而又清新的图画。整首诗以鹅的叫声开篇,紧接着连续写了鹅高歌时的姿势,休息时的画面,以及随意拨动水流的安闲神态。以动入笔,每一句都有不同的动作,但整体上却给人以宁静之感。在唐代诗人众多的诗篇中,这一首以儿歌特色而独树一帜。

吟诵提示

这首诗在唐诗中很特殊,类似儿歌,头一句三个叠字,后三句用五言,押平声韵。总体格调轻松欢快,平实自然。音韵的技巧就在选择富于暗示性或象征性的字音和比喻,使得字音和字义水乳交融。"鹅"类似拟声字,形象生动,所以吟诵第一句,三个"鹅"字轻松自然吟出,仿佛一群天真无邪的孩子在模仿鹅叫,尽情地玩耍。第二句的"向"字重读,带起后面的"天"字,适当长吟,"歌"要长吟,显示鹅的悠闲自得,也表现儿童见到水中的鹅,又听到鹅叫时喜悦的心情。第三、第四句对仗工整,俨然一幅白鹅戏水图。"毛"字在节奏点上,要长吟;"浮"字虽然不在节奏点上,也要适当长吟,强调浮在绿水上;"拨"是入声字,开口即收,表现用力划水的样子;"清"字适当长吟;"波"是韵字,要长吟,表现划水产生的涟漪渐行渐远。吟诵这首诗,要轻松愉悦,把童趣表现出来。

5 风

(唐)李峤

解落三秋叶,[1]
能开二月花。
过江千尺浪,
入竹万竿斜。

风

(唐)李峤

解落三秋／叶，
能开／二月花。
过江／千尺浪，
入竹万竿／斜。

作者介绍

李峤(约645—约714)，唐代诗人。字巨山，赵州赞皇(今属河北)人。十五岁通"五经"，二十岁考中进士，做过县尉、御史等，武后和中宗时期历任地方上和朝廷中的高官，与崔融、苏味道、杜审言并称"文章四友"，是当时文坛上的著名人物。

注释

[1]解：能够，会。三秋：指秋天。

导读

本诗以风为题,整首诗却始终没有一个风字,细细品味,又可以发现每一句都写到不同特点的风。第一句以落叶来写秋风,一个"落"字形象地写出了秋风的萧瑟之感;第二句以花开写春风,一个"开"字,写出了春风吹来百花盛放的热烈景象;第三句写江上的狂风,"千尺浪"可见风浪之大;第四句写竹中之风,"万竿斜"写风入竹林后竹子随风摇摆的壮观景象。从整体上来看,前两句从时节着手,写出不同季节风的不同作用;后两句以物体区分,写不同物体与风接触后的不同景象。读这首诗可以结合自己的生活体验,来观察风中之景,品味大自然的变幻莫测。

吟诵提示

这是一首仄起的五言绝句,按照吟诵格律诗的规则,吟诵的停顿处是第一句的第四个字、第二句的第二个字、第三句的第二个字、第四句的第四个字以及韵字,简单地说就是"四二二四"及韵字。

这是一首描写物候的诗,从不同的角度来观察,表达了诗人对风的感悟。第一句起调要高昂,"落"是入声字,短促;"秋"是节奏点,通过长吟,把秋风扫落叶的气势表现出来。第二句长吟"开"字,因为"开"字在节奏点上,而且第二句描写春风,由秋肃转为春暖,故音调可适当放低;"花"是韵字,要长吟,显示熏风拂翠,春暖花开。第三句写江上的狂风,"江"字长吟,强调江面的壮阔;"千"字在五言诗第三个字的位置上,可适当长吟,表示浪高浪大。第四句写风竹,"入""竹"两个入声字,开口即收;"万"字重读,振起"竿"字,适当长吟;"斜"在这里可读为 xiá,与"花"押韵,要长吟,强调风竹的姿态。

这首诗短短二十个字,用了六个入声字,吟诵起来有一定难度。吟诵此诗须依意行腔,将风的不同姿态表达出来。

6 咏柳

(唐) 贺知章

碧玉妆成一树高，[1]
万条垂下绿丝绦。[2]
不知细叶谁裁出，
二月春风似剪刀。

咏 柳

(唐) 贺知章

碧玉妆成／一树高，
万条／垂下绿丝绦。
不知／细叶谁裁出，
二月春风／似剪刀。

作者介绍

贺知章(659—约744)，唐代诗人。字季真，一说字维摩，自号四明狂客，越州永兴(今浙江杭州市萧山区西)人。少以文辞知名，进士登第后担任过太常博士、集贤院学士及秘书监等职。他于天宝二年(743)请为道士，求还乡里。次年正月离开长安时，玄宗赋诗送行，回乡不久即去世。贺知章好饮酒，为人狂放不羁，与诗人李白、书法家张旭等八人合称"饮中八仙"。

注释

[1]碧玉：青绿色的玉。这句形容柳树绿影婆娑，犹如碧玉妆成一般。
[2]丝绦：丝带，形容柳条轻舞婀娜。

导读

　　这是一首咏物诗,写了早春时节的杨柳。第一句用"碧玉"一词展现柳树嫩绿的颜色,"妆成"一词运用拟人的修辞方法,给画面以动感,似乎柳树是一个美貌的女子,在用碧玉着意地装扮着自己。第二句运用比喻的修辞方法,把低垂的柳条比喻成轻柔亮丽的"绿丝绦",活像美丽女子随风飘舞的裙带。第三句在前两句的基础上发出疑问:如此美丽得让人浮想联翩的细叶,是谁的杰作呢?第四句进行回答,再次运用比喻的修辞方法,别出心裁地把二月的春风比喻成剪出了柳树万种风情的剪刀。本诗前两句着重写柳树的颜色和姿态,后两句表面上看起来是用设问的方式写春风,但实际上还是在表现柳叶的形态。整首诗画面清新淡雅,着墨不多,却意境鲜明,耐人寻味。

吟诵提示

　　这是一首仄起的七言绝句,按照吟诵格律诗的规则,吟诵的停顿处是第一句的第四个字、第二句的第二个字、第三句的第二个字、第四句的第四个字以及韵字,简单地说就是"四二二四"及韵字。

　　这首诗前两句咏物,后两句议论,总体格调新颖淡雅。最能表达早春的植物,一个是红杏,一个就是杨柳。第一句"碧玉"两个入声字,要短促;"成"字在节奏点上,自然要长吟;"高"是韵字,也要长吟,强调柳树亭亭玉立的样子。第二句"条"是节奏点,要长吟;"丝"字又紧连着韵字"绦",不能吟得过长;"绦"字要长吟,表现诗人看到柳丝在和煦的春风中摇曳心中充满喜悦之情。第三句的"知"字长吟,虽然是疑问,但更多的是赞叹,要吟得悠扬,才能表现出诗人对春天的热爱;"裁"字长吟,为后面的"剪刀"做铺垫。最后一句"风"字长吟,这鬼斧神工的剪刀,正是这二月的春风;"似"字重读;"刀"字酣畅淋漓地吟诵,把诗人的喜爱、赞美之情表现出来。

7 回乡偶书[1]

(唐) 贺知章

少小离家老大回,[2]
乡音无改鬓毛衰。[3]
儿童相见不相识,
笑问客从何处来。

回乡偶书

（唐）贺知章

少小离家／老大回，
乡音／无改鬓毛衰。
儿童／相见不相识，
笑问客从／何处来。

注释

[1] 偶书：随意书写下来。
[2] 少小：指年轻时。老大：指年老。
[3] 鬓毛：指耳边的头发。衰：疏落。

导读

唐玄宗天宝三载(744)，已经八十五岁的贺知章辞官返回故乡越州永兴，此时距离他离开家乡已经五十多年了，这首诗写的就是他初回到故乡时的情景。第一句"少小"与"老大"相对照，"离"与"回"相对照，用叙述的语气缓缓道出离家时间之长。第二句"无改"和"衰"相对照，突出了无改的乡音和衰老的容颜,写出了不变的思乡情怀和时光流逝的矛盾。后两句用短短十四个字描写出了一个返乡时的场景,"不相识"写离家之久,由童言无忌的孩子来问"客",更写出了反主为客的无奈。整首诗语言平实浅显,蕴藏的感情却很深沉浓郁。

吟诵提示

这是一首仄起的七言绝句,按照吟诵格律诗的要求,吟诵的停顿处是第一句的第四个字、第二句的第二个字、第三句的第二个字、第四句的第四个字以及韵字,简单地说就是"四二二四"及韵字。

诗人晚年返回故里,欣喜之情可想而知,此诗的情感基调应该是喜悦、舒畅,稍微带有一点返老还童的童真。第一句除"家""回"二字应该长吟外,"老"字在第五个字的位置上,又表达了自己是年逾八十的老人,故应适当提高音高,以示重视。第二句吟诵时应该有感叹时光流逝太快的沧桑之感,又有自己外出多年乡音一直没有变化的自豪,所以"无改"二字的音高可以适当提升,"鬓毛衰"三字的语速应适当放慢,尤其是韵字"衰",可适当长吟。第三句的"不"字是入声字,可以用提升音高的方法,表示重视。最后一句要吟得自然、轻松。诗人此时已经八十多岁了,在当时绝对是高寿,别说是儿童,恐怕五六十岁的人都不认识他了,所以此句的吟诵要带有一点童真、调侃的味道才好。把"你这个小孩怎么会认识我呢"的感情表达出来就达到目的了。"回"在这里可读作 huái,与"衰""来"押韵。

8 凉州词[1]

(唐)王之涣

黄河远上白云间,
一片孤城万仞山。[2]
羌笛何须怨杨柳,[3]
春风不度玉门关。[4]

凉州词

（唐）王之涣

黄河／远上白云间，
一片孤城／万仞山。
羌笛何须／怨杨柳，
春风／不度玉门关。

作者介绍

王之涣（688—742），唐代诗人。字季凌，晋阳（今山西太原市西南）人。早年担任过冀州衡水主簿，受人诬告，愤而辞官，优游山水，与高适、王昌龄等诗人交往，晚年才又做文安县尉。他曾经到过边地，因而擅长写作边塞诗，是唐代著名边塞诗人之一。

注释

[1]凉州词：唐代乐府曲名。《凉州词》原是凉州（今甘肃武威）一带的歌曲，唐代诗人多用这个调子写作歌词，描写西北边塞风光和战争生活。

[2]孤城：孤零零的城，这里指玉门关。万仞：形容很高。仞，古代的长

度单位,一仞相当于现在的七尺或八尺。

[3]羌笛:古代羌族的一种乐器。羌是我国古代西部的一个少数民族。怨杨柳:意思是吹奏出《折杨柳》的曲调,表达哀怨之情。杨柳,指古代乐曲《折杨柳》,曲调比较凄凉哀婉。

[4]玉门关:在今甘肃敦煌西北,是汉代和唐代通往西域的重要关口。

导读

这首诗写边关征人的愁怨。第一句写黄河之水的苍茫浩渺,气势磅礴;第二句写背依着连绵不断的山峰的"孤城",苍凉浑厚;第三句以悠悠羌笛所吹奏出的《折杨柳》表现思乡之情,却出以劝止的口吻;第四句写"不度"玉门关的春风,暗含着出了玉门关连杨柳都不能生长,更显出边地的荒凉和对家乡的思念。本诗前两句景物描写意境开阔、气势非凡,后两句由所见转入所怀:曲中的《折杨柳》尚能听到,而春风却好像从来也吹不到玉门关。全诗短短四句,意蕴极为丰富,层层深入地写出了愈远愈浓烈的思乡之情。

吟诵提示

本诗虽然是唐代乐府曲名,但平仄完全符合格律诗的要求,因此可以按照吟诵平起七言绝句的要求去吟诵。吟诵的停顿处是第一句的第二个字、第二句的第四个字、第三句的第四个字、第四句的第二个字以及韵字,简单地说就是"二四四二"及韵字。

本诗是唐代非常著名的一首反映边塞生活的诗篇,表现了戍守边塞将士生活的单调、寂寞及对故乡的思念,其情感基调是豪迈、深情、感伤。前两句描写了边塞的风光,因此发调应该起得高亢、豪迈。第一句中"白云间"三字的处理较为困难,"白"是入声字,就是在第五个字的位置上也不能长吟,长吟的任务只能落在"云"字上了,但"云"字又紧连着韵字,所以不能吟得过长。第二句的"万"字虽然不能长吟,但非常重要,可以适当提升音高。

第三句须吟得多情,才能表现出诗人内心对故乡的思念。尤其是"怨"字,须吟得婉转悠扬,才符合诗篇的本意,"杨"字要半吟。最后一句要在思念、深情中添加一丝感伤的情思,添加一丝不满的情绪。所以不能高亢,不能激昂,不能酣畅淋漓地吟诵,只能缓慢地、轻柔地吟诵,才能把诗人内心复杂的情感表现出来。

9 登鹳雀楼[1]

(唐) 王之涣

白日依山尽,
黄河入海流。
欲穷千里目,[2]
更上一层楼。[3]

登鹳雀楼

（唐）王之涣

白日依山／尽，
黄河／入海流。
欲穷／千里目，
更上一层／楼。

注释

[1]鹳雀楼：唐代著名的登高胜地，旧址在今山西永济县西南，在楼上可以眺望高山、黄河。
[2]欲：想要。穷：穷尽。
[3]更：再。

导读

这首诗是写作者傍晚时分登上鹳雀楼的所观所感。第一句实写登楼远眺，太阳落入连绵不断的群山之中，"白日"写出了落日的颜色，并非晴朗的天气，与青山一起构成了宏大如画的景色。第二句虚写滚滚黄河奔流入海的景象,展现诗人开阔的胸襟。后两句以洗练精辟的语言道出了登高才能望远的道理,被人们传诵至今。整首诗写景颇具北方特色,辽阔壮美。诗中描写与议论结合得浑然天成。

吟诵提示

这是一首仄起的五言绝句,按照吟诵格律诗的要求,吟诵的停顿处是第一句的第四个字、第二句的第二个字、第三句的第二个字、第四句的第四个字以及韵字,简单地说就是"四二二四"及韵字。

本诗抒发了诗人对壮丽山河的热爱,表达了只有登高才能望远的哲理。因此本诗的情感走向是由激昂过渡到理性。第一句须起得高昂,"白日依山尽"是写太阳渐渐偏西,所以本诗的吟诵也是由高向下滑动。"依"字在五言诗第三个字的位置上,又是平声,故可以在不影响节奏点长吟的前提下适当长吟。第二句长吟"河"字,不仅是因为"河"字在节奏点上,而且通过长吟,才能把黄河一泻千里、汹涌澎拜的气势表现出来。第三句由对现实的描写转为理性的思考,故音调可适当放低,"千"字在五言诗第三个字的位置上,可适当长吟,表达千里遥远之感。最后一句诗人告诉读者要想看得更远,唯一的办法是"更上一层楼",但是"更上"二字不能长吟,只能用提升音高的方法来表现了。"一层楼"要吟得慢一些,表明是在给读者讲道理,有循循善诱的意味。总之,吟诵此诗须发调高昂,收尾沉稳,方能将诗人的情感表达出来。

10 春晓[1]

(唐) 孟浩然

春眠不觉晓,[2]
处处闻啼鸟。[3]
夜来风雨声,[4]
花落知多少。

春 晓

（唐）孟浩然

春眠／不觉晓，
○○　●●　▲

处处闻啼／鸟。
●●　○○　▲

夜来／风雨声，
●○　○●　○

花落知多／少。
○●　○○　▲

作者介绍

孟浩然(689—740)，唐代诗人。字浩然，襄州襄阳(今湖北襄樊市襄阳区)人。少年时在家园度过，后隐居鹿门山读书写作，准备科举考试。开元十七年(729)应试落第还乡，漫游吴越等地，后曾短期参与张九龄幕府。孟浩然与当时的著名诗人多有交往，与王维并称"王孟"，同是盛唐山水田园诗派的代表人物。

注释

[1] 春晓：春天的早晨。
[2] 不觉晓：不知不觉中已经天亮了。
[3] 啼鸟：小鸟鸣叫。

[4]夜来:昨天夜里。

导读

本诗写了诗人清晨睡起时刹那间的感情片段,语言明白如话,却充分表达了诗人为浓郁的春意所陶醉的感受。第一句写春睡的香甜,也流露出对春日清晨的喜爱。第二句写醒来后听到"处处"鸟鸣,那远近应和的鸟鸣不正是春之声吗？第三句写回忆,记得昨夜曾有春雨落下,这沙沙的春雨透露出的正是无边的春意啊。第四句写眼前的花朵,在春雨中不知道有几多凋零,表现出诗人由喜爱春天到怜惜春天。整首诗有时间上的跳跃,有阴晴的交替,同时还调动了听觉、视觉,来充分地感受浓浓的春意。整首诗像一幅春天的画,又像一支"春之声"圆舞曲,令人回味无穷。

吟诵提示

这是一首五言古诗,押仄声韵。古体诗押仄声韵,一般是上声、去声、入声单独押韵,不会通押,这首诗押上声筱韵。与格律诗的吟诵规则略有不同,吟诵的停顿处是第一句的第二个字、第二句的第四个字、第三句的第二个字、第四句的第四个字以及韵字,简单地说就是"二四二四"及韵字。

这首诗的总体格调清新淡雅,活泼可爱。第一句"眠"字长吟,春天来了,天亮得越来越早,突出懒洋洋的春睡;"不觉"两个入声字,短促;"晓"是韵字,因是仄声,可适当长吟,表达对春日清晨的喜爱。第二句"啼"字长吟,诗人一觉醒来,天气晴朗,满耳都是小鸟叽叽喳喳的鸣叫;"鸟"是韵字,可适当长吟,点明春天之声。第三句"来"字长吟,表现诗人因喜爱花而担心夜来风雨摧花;"声"字很重要,本诗是押仄声韵的古体诗,"声"字又是单句的末字,所以要长吟,表达诗人对花的担忧。末句"落"是入声字,短促重读;"多"是节奏点,要长吟;"少"是韵字,又是最后一个字,也要长吟,显示诗人对春天的珍爱和怜惜。

11 凉州词

（唐）王翰

葡萄美酒夜光杯[1]，
欲饮琵琶马上催[2]。
醉卧沙场君莫笑[3]，
古来征战几人回？

凉州词

（唐）王翰

葡萄/美酒 夜光杯，
○○　●●　●○△

欲 饮 琵 琶/马 上 催。
●●　○○　●●△

醉 卧 沙 场/君 莫 笑，
●●　○○　○●●

古来/征 战 几 人 回？
●○　○●　●○△

作者介绍

王翰（生卒年不详），唐代诗人。字子羽，晋阳（今山西太原市西南）人。少时豪放，恃才傲物，有侠士风。进士及第后做过县尉、舍人等官，后因与侠士豪饮废职，被贬为道州司马，随后去世。与诗人祖咏等唱和，善于写作边塞诗。

注释

[1] 夜光杯：用白玉制成的酒杯，夜间可以照光，因为它原产西北，所以也用它来营造一种边塞风情。这里借指精美的酒杯。

[2] 催：催促饮酒。

[3] 沙场：平沙旷野，此处指战场。

导读

本诗写了边塞生活的一个具体的场面——饮酒。第一句以颇具西域特色的葡萄美酒和夜光杯入诗,在月光的辉映下,觥筹交错,铺排了宴会的隆重。第二句写马上传来美妙的琵琶弹奏声,从声音的角度来写宴会的热闹非凡。后两句是劝酒之词,"醉卧沙场",表现出来的不仅是豪放、开朗、兴奋的感情,而且还有视死如归的勇气,这和豪华的筵席所显示的热烈气氛是一致的。整首诗以具有西域特色的景物开篇,描写了一个颇具军营生活风采的场景,结尾处用戏谑的口吻展现了一种视死如归的豁达。这首诗虽不能排除对战争的可怕结局有夸大的成分,但它欢快的节奏和跌宕的情思却分明透露出昂扬向上、激动人心的力量,这正可谓是"盛唐气象"的一种表现。

吟诵提示

这是一首边塞诗,平起的七言绝句。按照吟诵格律诗的规则,吟诵的停顿处是第一句的第二个字、第二句的第四个字、第三句的第四个字、第四句的第二个字以及韵字,简单地说就是"二四四二"及韵字。

这首诗的总体格调苍凉悲壮、豪迈从容。诗人更多的是表达对戍边将士的赞美。吟诵时,第一句起调要欢快一些,"萄"字长吟;"杯"是韵字,自然要长吟,表现边疆勇士痛饮美酒、尽情欢乐的情景。第二句的"琶"字在节奏点上,要长吟,表达激越的琵琶声;"马"是七言诗的第五个字,可以适当重读,以示强调;"催"是韵字,要长吟,意在催促。第三句的"场"字长吟,表示战场的残酷,表面的狂欢也掩饰不住内心的沉痛;"君"字可适当长吟以示强调。最后一句吟诵时,起调要高一些,强调"古来征战几人回"这千古一叹。总之,吟诵这首诗,应该把感情基调定位在对戍边将士的歌颂上,定位在对战争的反思上,后两句感情可稍微沉重一些,这样才能体现诗人写作此诗的情感。

12 出塞

（唐）王昌龄

秦时明月汉时关，
万里长征人未还。[1]
但使龙城飞将在，[2]
不教胡马度阴山。[3]

出 塞

(唐)王昌龄

秦时 / 明月 汉时关,
万里长征 / 人未还。
但使龙城 / 飞将在,
不教 / 胡马度阴山。

作者介绍

王昌龄(?—约756),唐代诗人。字少伯,京兆长安(今陕西西安)人。早年可能到过西北边陲。开元十五年(727)进士及第,补秘书省校书郎,二十二年(734)登博学宏词科,授汜水尉。后被贬岭南,第二年北归,改官江宁丞。天宝中被贬为龙标(今湖南洪江市西)尉。安史之乱时,为亳州刺史闾丘晓所杀。其诗格调高昂,气势雄浑,但也不乏优柔婉丽之作。尤以七绝见长,有"诗家夫子王江宁"之称。

注释

[1]这两句是说:这明亮的月光和秦汉时一样照着边塞,这漫长的边防

线上，一直没有停止过战争。

[2] 但使：假若，只要。龙城飞将：龙城，即卢龙城，在今天的河北卢龙县，是汉代抗击匈奴的重镇。飞将，指汉代名将李广。李广英勇善战，长于骑射，人称"飞将军"。

[3] 不教：不让。胡马：指匈奴的军队。度：经过。

导读

"出塞"本是乐府古题，见于《乐府诗集》的"横吹曲辞"。本诗通过对汉朝名将李广的怀念，表达了作者希望唐王朝能够任用得力将领来抵御侵扰，以保障边远地区和平安宁的政治理想。本诗是王昌龄边塞诗的代表作，音节高亮，气势雄浑，第一句"秦时明月汉时关"短短的七个字，就给我们展开了一幅恢宏的历史长卷，从秦到汉，为了边塞的安全，一代又一代将士在这里贡献了自己的青春，静止的关塞和流动的时光形成了鲜明的时空坐标。明月默默地见证了这一切，又仿佛在告诉我们，戍边将士抛家弃舍换来了边塞的和平安宁，我们不能忘记他们。接下来三句都是对第一句的阐释和发挥，有了这些英勇的戍边将士，尤其是有了像李广那样的忠勇将军，国家才能和睦安定。

吟诵提示

这首诗虽然用了乐府古题，却也是一首标准的平起七言绝句。按照吟诵格律诗的要求，停顿处应该是第一句的第二个字、第二句的第四个字、第三句的第四个字、第四句的第二个字以及韵字，简单地说就是"二四四二"及韵字。

这首诗的感情基调应该定位在对戍边将士的歌颂上，通过对历史的回顾，希望有出色的飞将军投身边塞，捍卫国家的安全。所以尽管有对将士行役万里、辛苦征战的同情，更多的还是表现对戍边将士的赞美，对立功沙场的渴望。吟诵时,第一句要特别注意,起调不能太低,亦不能太高,才能把诗人那种历史的沧桑感表现出来,才能把诗人对年复一年边塞战争的哲学思考表现出来。第二句的"人"字虽然不在节奏点上,但是七言诗的第五个字,可以适当重读,以示强调;这里重读"人"字,表达诗人对一代代戍边将士的敬意。第三句的"飞"字也可以重读,表示国家需要的不是一般的将军,而是像李广那样骁勇善战的英雄。最后一句吟诵时,"教""度"二字都是诗人用情极深之处。"教"字此处应该读为平声,否则就不符合平仄要求了;"度"字是仄声字,此处不宜长吟,可以适当加重语气,表明不让胡马越过阴山是历代戍边者的目的,也是诗人的愿望。总之,吟诵这首诗,应该把感情基调定位在对戍边将士的歌颂上,定位在对历史的反思上,因此起调不宜过高,感情可稍微沉重一些,这样才能把握住诗人写作此诗的情感。

13 芙蓉楼送辛渐[1]

（唐）王昌龄

寒雨连江夜入吴[2]，
平明送客楚山孤[3]。
洛阳亲友如相问，
一片冰心在玉壶[4]。

芙蓉楼送辛渐

（唐）王昌龄

寒 雨 连 江／夜 入 吴，
○ ● ○ ● ● △

平 明／送 客 楚 山 孤。
○ ○ ● ● ○ △

洛 阳／亲 友 如 相 问，
● ○ ○ ● ○ ○ ●

一 片 冰 心／在 玉 壶。
● ● ○ ○ ● ● △

注释

[1] 芙蓉楼：在今江苏镇江市西北，登楼可以见江景，是送别的理想地方。辛渐：诗人的朋友。

[2] 连江：形容雨下得很大，雨水和江水都连在一起了。吴：指古时的吴国，在今江苏镇江一带。

[3] 平明：天快亮的时候。楚山：楚地的山。江苏镇江一带古时又属于楚国，故称这里的山为楚山。

[4] 冰心：比喻自己的心像冰一样晶莹纯洁。

导读

这是一首送别诗,由于诗人为人坦荡,不拘小节,被贬官到江宁,所以心情十分郁闷,借送友人远行洛阳,表白自己光明磊落的性格和坦荡清白的操守。诗篇前两句交代了送别的时间、地点及送别的环境气氛,诗人用充满凉意的寒雨、连天接地的江水、孤独的楚山、拂晓时似明未明的亮光,营造出与友人惜别时凄楚的氛围,可以想见诗人与友人的感情是很真挚的。后两句以冰、玉壶来比喻自己光明磊落、表里如一的品格。古人很早就用"清如玉壶冰"来比喻人高洁清白的品行,唐代诗人王维、李白曾经以冰壶自励。友人要回洛阳了,诗人让朋友带给亲友的是自己坚持操守的信念,是对光明人格的追求,是晶莹纯洁的冰心,是对邪恶势力的永不妥协。这比一封平安家书更有意义,也反映了诗人与友人彼此的信任和友情。

吟诵提示

这是一首仄起的七言绝句,按照吟诵格律诗的要求,吟诵的停顿处是第一句的第四个字、第二句的第二个字、第三句的第二个字、第四句的第四个字以及韵字,简单地说就是"四二二四"及韵字。

感伤、苦闷应该是本诗的情感基调,因此吟诵此诗时,语调可以稍微低沉、委婉缠绵一些,将内心的苦闷、忧愁缓缓抒发出来。前两句是写在黎明时,冒着寒雨去送别友人,天气恶劣,友人就要远去,诗人的心情可想而知。吟诵这两句时,语调应该低沉一些。第一句的"夜"字可以适当加重一点,强调寒雨从夜间就开始下了,诗人大概本以为下雨了友人可能不走了,谁知友人还是走了,而且天色未明就走了,诗人很沮丧,所以把"夜"字加重一点很有必要。第二句的"客"字也应该加强一下语气,表明自己来这里是为了送别友人;"孤"是韵字,本来就应该长吟,这里亦应加重语气,以表达对友人远行的依依不舍,同时也表明友人走了,自己像楚山一样孤单了,要通过缠绵的吟诵把这深沉的感受抒发出来。第三句是过渡,所以应该轻轻、缓缓道出,不可太急,以正常语速最好。"如"字应该加强语气,因为"如"是平声,又是七言诗的第五个字,此处特别重要,而且"如"是此二句的核心,强调了"如"字,能顺理成章地引出最后一句。"一片冰心在玉壶"吟诵时语气可以加强,声调可以提升,才能把内心的郁闷、感伤宣泄出来。"冰""玉"二字都是用情极深之处,尤其应该注意。

14 鹿柴[1]

（唐）王维

空山不见人，
但闻人语响。[2]
返景入深林，[3]
复照青苔上。

鹿　柴

（唐）王维

空山 / 不见人，
○○　●●　○

但闻 / 人语响。
●○　●●　▲

返景 / 入深 / 林，
●●　●○　○

复照青苔 / 上。
●●○○　▲

作者介绍

王维（约701？—761），唐代诗人、画家。字摩诘，先世为太原祁（今山西祁县）人，其父迁居蒲州（治今山西永济市西南蒲州镇），遂为河东人。开元九年（721）进士及第，先后任过参军、御史、郎中等职。其间因母亲去世而丁忧辞官，遂隐居辋川别业，与裴迪为友，弹琴赋诗，啸咏终日。天宝十五载（756），安禄山、史思明的叛军攻陷长安，王维被迫做了安史乱军的官，唐王朝收复长安后论罪六等，赖其弟王缙请削己官职赎救，加之唐肃宗欣赏其诗，得以免罪。晚年官居尚书右丞，世称"王右丞"。王维多才多艺，擅书画，通音律，苏轼评价他"诗中有画，画中有诗"。

注释

[1]鹿柴:"柴"同"寨",读 zhài,栅栏。这里是地名。
[2]但:只。闻:听见。
[3]返景:夕阳返照的光。"景"古时同"影"。

导读

王维晚年住在终南山的辋川别业中,在这里写下了大量山水诗,其中的代表作五绝组诗《辋川集》共二十首,这是第四首,描绘了鹿柴附近的空山深林在傍晚时分的幽静景色。第一句正面写"空山",并以杳无人迹来进行补充,充分表现了山的空寂冷清。第二句"但闻"限制了所听到的声音仅仅是时断时续的人声,不同于鸟鸣鱼戏的自然之音,显示了空谷之空,人语响过之后的万籁俱寂,使得空寂尤为突出。后两句以光亮反衬幽暗,就像是在绝大部分冷色的画面上掺进了一点暖色,结果反而使冷色给人的印象更加鲜明。这首诗正是王维诗歌"诗中有画"的极好体现,声的寂静、光的幽暗,在他的笔下以空山人语响和深林入返照的画面展现出来,宁谧而又幽静。

吟诵提示

这是一首五言古绝,古绝的吟诵不同于格律诗的吟诵,没有固定的模式。具体在本诗中,吟诵的停顿处是第一句的第二个字、第二句的第二个字、第三句的第四个字、第四句的第四个字以及韵字,简单地说就是"二二四四"及韵字。

本诗的感情基调是优雅从容,闲适自得。诗篇给我们描绘了一个幽静恬淡的意境,突出了"静"的感觉。吟诵时要轻松自如,节奏略慢,声音柔和,才能和诗的意境相符,不可纵情高歌。第一句的平声字"山"宜长吟,显示空山的宁静幽美;"人"字是平声,虽不是韵字,但是在句尾,故可以适当长吟。第二句的平声"闻"字长吟,突出"蝉噪林逾静,鸟鸣山更幽"之意;仄声字"响",因为是韵字,可略长吟,人语声消逝后,山中显得更加宁静。第三句的"深"字长吟,显示森林的宽阔幽深;"林"字适当长吟,以表现夕阳余晖照射到幽深茂密的树林中的情调。第四句的"照"字吟诵时声音略高,是要引起注意:落日的余晖透过斑驳的树影洒在青苔上,是极为美丽的一幅图景;"上"字是仄声,因为是韵字,可以适当长吟,与"照"字结合起来,再次强调光与影转瞬即逝的组合所形成的一幅生动图画。"不"和"人"两个入声字要短促,开口即收。总之,这首诗吟诵起来有一定的难度,但若把握住本诗的吟诵规律,吟诵起来会非常好听。

15 送元二使安西[1]

（唐）王维

渭城朝雨浥轻尘，[2]
客舍青青柳色新。[3]
劝君更尽一杯酒，[4]
西出阳关无故人。[5]

送元二使安西

(唐) 王维

渭城/朝雨浥轻尘，
客舍青青/柳色新。
劝君/更尽一杯酒，
西出阳关/无故人。

注释

[1] 安西：安西都护府，治所在今新疆库车县境内。
[2] 浥：湿润。
[3] 柳：古人在送别时有用柳表示挽留的习俗，柳者，留也。
[4] 更：再。
[5] 阳关：在今甘肃敦煌市西南，与玉门关同为出西北的必经之地，因在玉门关南，所以叫阳关。

导读

这是一首著名的送别诗。第一句写送别的时间、地点和天气：下过雨的清晨，空气格外清新，一切都显得宁谧美好。第二句写送别的具体地点和景物:经过朝雨冲刷的青青客舍和越发青翠的柳条,使人置身于绿色的画境中。可"客舍"是离别之地,"柳"是表示离别之物,这美好的清晨因离别而有了浓郁的愁思。更何况西出阳关只有大漠风沙,与此处的明丽景色截然不同,使人更增加了几分愁思。第三句一个"更"字写出了作者对朋友离别的不舍,这一杯又一杯的酒里都装满了作者浓浓的情意。第四句明写"西出阳关",而重心却在"无故人",与第三句中的友人频频劝酒形成了鲜明的对比,更显孤身一人西出阳关的凄凉。整首诗只写了送别的一个场面,景物清新,朋友豁达,但细细品味,却有一种拂之不去的离愁。

吟诵提示

这是一首七绝乐府,按照七言绝句的格律要求,第三句失黏,所以吟诵的停顿处是第一句的第二个字、第二句的第四个字、第三句的第二个字、第四句的第四个字以及韵字,简单地说就是"二四二四"及韵字。

这是一首送别的诗,情真意切,感人肺腑!第一句长吟"城"字,点明送别的地点;"浥"是入声字,要短促;"尘"是韵字,要长吟。这一句表明雨后的景色,客舍的柳树更加青翠,优美如画。第二句长吟第二个"青"及"新"字,交代送别的时令和景物,"柳色新"是指春天,古人送行赠别必折柳,把诗人对友人的离情别绪款款道来。第三句的"君"字在节奏点上,应该长吟,为了表现对朋友的留恋,可以适当再长一些,把对朋友的临别挽留的情意抒发出来;"更"字是表达感情的关键字,也应该重读;"杯"字处于孤平的位置,可以按长吟的一半处理,诗人是想劝朋友多饮几杯,暂时忘却离别的哀伤。最后一句道声珍重,依依话别。"无"字要注意,不在节奏点上,不宜长吟,只能加重语气;"人"字要长吟,随口说出了阳关就没有老朋友了,朴实感人,要把真挚的友情表达出来。

16 九月九日忆山东兄弟 [1]

（唐）王维

独在异乡为异客，[2]
每逢佳节倍思亲。[3]
遥知兄弟登高处，[4]
遍插茱萸少一人。[5]

九月九日忆山东兄弟

(唐)王维

独在异乡／为异客，
● ● ● ○ ○ ● ●

每逢／佳节倍思亲。
● ○ ○ ● ● ○ △

遥知／兄弟登高处，
○ ○ ○ ● ○ ○ ●

遍插茱萸／少一人。
● ● ○ ○ ● ● △

注释

[1]九月九日：《周易》把"六"称为阴，把"九"称为阳，九月九日是两个九重叠在一起，因此古人把九月九日称为重阳节，这一天有登高、插茱萸、喝菊花酒以辟邪祛病的风俗。山东：指华山以东，诗人此时客居长安，他的兄弟在华山以东的山西永济。

[2]异乡：异地他乡。

[3]佳节：美好的节日，这里指重阳节。

[4]遥知：从很远的地方知道。

[5]茱萸：一种香味很浓的植物。古人认为重阳节时佩戴茱萸可以辟邪祛病。

导读

这首诗是王维十七岁时的作品,是在重阳节因思念家乡的亲人而作。王维家居蒲州(今山西永济),在华山之东,所以题称"忆山东兄弟"。第一句连用两个"异"字,表明自己已经远离家乡、远离亲人了,再加上"独"字,把诗人客居他乡的孤独寂寞的心情表现得淋漓尽致。第二句"每逢佳节倍思亲"是千古名句,平常羁旅在外,人都会感到孤独寂寞,适逢佳节家人团聚时,自然更感到客居的苦闷,所以这一句准确表达了古往今来游子佳节思亲的共同心理。后两句诗人从对方着笔,想象亲人一定像自己思念他们那样思念自己,他们在登高、插茱萸时是不是发现少了自己呢?前两句是实写,后两句虽然是虚写,是想象之词,但由于前两句是实情实景,奠定了后两句的感情基础,所以后两句也似乎成了实情实景,因为思亲是所有人共同的情感。

吟诵提示

这是一首仄起七言绝句,按照吟诵格律诗的要求,吟诵的停顿处是第一句的第四个字、第二句的第二个字、第三句的第二个字、第四句的第四个字以及韵字,简单地说就是"四二二四"及韵字。

这是一首感情非常强烈的怀乡思亲的诗作,情感基调是深情、真挚。古人在抒发情感时讲究含蓄蕴藉,不能大开大合,所以吟诵时不宜高亢激昂,只能以中等音高、缓慢语速,把诗人对家乡、对亲人的思念款款道来。第一句十分重要,除了节奏点应该长吟,"为"字在七言诗第五个字的位置上,又是平声字,因此也应长吟;"客"虽然是入声字,也不是韵字,但它处于句尾,吟诵时还是应该给它一定的地位,否则就不易把这一句和下一句区分开来了。第二句的"佳""思"二字都是诗人用情很深的地方,可以适当长吟,但"佳"字前面是节奏点,"思"后面是韵字,又不宜长吟,可以按长吟的一半处理,这样可以兼顾双方。第三句的"知"字本来就在节奏点上,应该长吟,为了表现对亲人的思念,可以适当再长一些,把对亲人的思念尽情抒发出来;"兄"和"登"都是平声字,也是表达感情的关键字,应该给予关注,适当长吟。最后一句的"少"字要特别注意,诗人说亲人在登高、插茱萸时,一定思念自己,为自己不在而感伤,事实上是说自己不在亲人身旁,思念亲人,但是"少"字是仄声字,不宜长吟,只能用加重语气来表达对亲人的思念之情。

17 静夜思

（唐）李白

床前明月光，
疑是地上霜。[1]
举头望明月，[2]
低头思故乡。

静夜思

(唐)李白

床前/明月光，
○　○　　○　●　△

疑是地上霜。
○　●　●　●　△

举头/望明月，
●　○　　●　○　●

低头/思故乡。
○　○　　○　●　△

作者介绍

李白(701—762)，唐代诗人。字太白，号青莲居士，自称祖籍陇西成纪(今甘肃静宁县西南)，先代于隋末流徙中亚碎叶城(唐时属安西都护府，今吉尔吉斯斯坦托克马克附近)，唐中宗神龙初年(705)随父迁回广汉，居于绵州昌隆(今四川江油)青莲乡。少年时博览经史，"五岁诵六甲，十岁观百家"，受到良好的教育。开元十二年(724)，出蜀漫游江汉、洞庭、金陵、扬州等地。开元十八年(730)入长安求仕，贺知章见其诗《蜀道难》，称其为"谪仙人"。两年后失意而归。天宝元年(742)应诏再至长安，供奉翰林，后人称"李翰林"。因遭权贵谗毁而被玄宗"赐金放还"，与诗人杜甫、高适相会于汴梁、商丘等地，一同漫游于大河上下、东鲁泰山之间。安史之乱发生后，正隐居庐山的李白应永王李璘的号召随军东下，结果却因李璘谋乱牵连而遭流放夜郎,中途遇赦,来往于岳阳、宣城等地。最后病逝于当涂。李白是我国历史上最伟大的诗人之一,诗风飘逸潇洒,清新明丽,代表了盛唐时期积极进取的时代精神。在唐代诗坛上与杜甫双峰并峙,合称"李杜"。

注释

[1] 疑:好像。
[2] 举头:抬头。

导读

这首诗写诗人羁旅夜宿时的思乡之情。第一句写客中深夜不能成眠,看着院子里铺满的月光,有一种寂寥之感。第二句描写地上月光如霜般冰冷洁白。后两句在"举头""低头"之间,思乡之情油然而生,在这秋天清冷的夜晚,独在异乡的诗人沉浸在对家乡深深的思念之中。"举头""低头"等动作,形象地揭示了诗人的内心活动,鲜明地勾勒出一幅生动形象的月夜思乡图。这首诗以极其简短而又浅显的语言,写尽了人人都有的情感和感受,最能唤起普遍共鸣,因而成为家喻户晓、广为流传的诗篇。

吟诵提示

这是一首五言古绝,押平声韵,古绝多用拗句,与吟诵五言绝句的规则不同,吟诵的停顿处是第一句的第二个字、第三句第二个字、第四句第二个字及三个韵字。

这是一首思念故乡的诗,吟诵时,特别注意总体节奏要放慢,太快了,与诗的意境不相符。第一句的"床"字长吟,强调地点;"明月光"三五同声,"明"字可适当重读,"光"字长吟,突出宁静的环境。第二句的"是"为仄声,不宜长吟,可适当重读;"霜"字长吟,表达如霜的月光。第三、第四两句的

"头"字都要长吟,故乡的亲人此时此刻同样也在月光下思念自己;"望""思"二字是诗人寄情较深之处,"望"字要重读,"思故乡"又是三五同声,"思"字可适当长吟,"乡"是韵字,要长吟,把浓浓的乡愁表达出来。

18 古朗月行(节选)[1]

(唐)李白

小时不识月,
呼作白玉盘。
又疑瑶台镜,[2]
飞在青云端。
仙人垂两足,
桂树何团团。[3]
白兔捣药成,[4]
问言与谁餐?[5]

古朗月行(节选)

(唐)李白

小时/不识月,
● ○ ● ● ●
呼作白玉盘。
○ ● ● ● △
又疑瑶台/镜,
● ○ ○ ○ ●
飞在青云/端。
○ ● ○ ○ △
仙人/垂两足,
○ ○ ● ● ●
桂树何团/团。
● ● ○ ○ △
白兔捣药成,
● ● ● ● ○
问言/与谁餐?
● ○ ● ○ △

注释

[1]朗月行:乐府古题,在《乐府诗集》中属于"杂曲歌辞",在这里李白

只是借用旧题。全诗共十六句,这里选了前八句。

[2]瑶台:传说仙人居住的地方。

[3]桂树:传说月亮中有桂树。团团:圆圆的样子。

[4]白兔捣药:传说月亮中有白兔在不停地捣着仙药。

[5]问言:就是问的意思。言是语气助词,没有意义。与谁餐:给谁吃。

导读

这首诗描摹儿童的好奇心理,面对月亮发出疑问。开篇从儿时尚不知月为何物写起,连用两个常见、易知的物件——"盘"与"镜"来比喻儿童眼中的月亮,可是这两种普通的物件却又被诗人以"白玉"和"瑶台"修饰成奇特而不易接近的物事。一"呼"一"疑",活脱脱地表现出童稚天真的心理,接着,第五、第六、第七句描绘出了流传已久的神话故事:月亮中有仙人、桂树,还有白兔在不停地捣药。每当夏夜月光皎洁之时,这些披着缥缈面纱的精灵会在儿童小小的头脑中引起多少遐想啊,于是他们又要提问了:"那月中白兔捣成的仙药,是给谁吃呢?"这八句诗,一面写儿童好奇善问,一面把神话传说融入其中,问而不答,答而无解,堪称是一首奇幻而美丽的诗篇。

吟诵提示

这是一首五言古体诗,押平声韵。与五言律诗的规则不同,这首诗吟诵的停顿处是第一句的第二个字、第三句的第四个字、第四句的第四个字、第五句的第二个字、第六句的第四个字、第八句的第二个字及四个韵字。

诗人把儿时的想象与月中的神话传说相结合,使诗中充满了稚气和童趣。第一句的"时"字长吟,强调儿童时期;"不识月"三个入声字,发音短促,流露出俏皮的感觉。第二句的"作白玉"又是连续三个入声字,同样发音短促,"作"字可适当重读;"盘"字长吟,强调误以为月亮是白玉盘。第三、第四句则说的是又以为月亮是神仙用的镜子,"疑"字半吟,"台"字长吟,表现遥远的神仙居处;"青云端"一连三个平声,这在古体诗中很常见,"云"字适当长吟,后面紧接韵字"端",要长吟,也要表达遥远的意思。第五句长吟"人"字,半吟"垂"字,似是在思索仙人长的是什么样子。第六句的"何团团"又是一连三个平声,第一个"团"适当长吟,第二个"团"长吟,以显示儿童的好奇心。第七句的"捣"字重读,"成"字半吟。末句"言""餐"二字长吟,以突出提问:桂树下的白兔为什么要捣药?又给谁吃呢?把儿童无拘无束的幻想和善问表现出来。全诗的节奏不规则,九个入声字吟诵起来虽有一定难度,但却有一种特殊的音乐美感。

19 望庐山瀑布[1]

(唐)李白

日照香炉生紫烟,[2]
遥看瀑布挂前川。[3]
飞流直下三千尺,
疑是银河落九天。[4]

望庐山瀑布

(唐)李白

日 照 香 炉 / 生 紫 烟,
● ● ○ ○ ● △

遥 看 / 瀑 布 挂 前 川。
○ ○ ● ● ○ △

飞 流 / 直 下 三 千 尺,
○ ○ ● ● ○ ○ ●

疑 是 银 河 / 落 九 天。
○ ● ○ ○ ● ● △

注释

[1]庐山:在今江西九江市南,是我国名山之一。

[2]香炉:指香炉峰,在庐山的西北部。这句是说峰上的云气在日光的照耀下,犹如香炉中散发出的紫烟,袅袅上升。

[3]遥看:远远地看去。挂前川:形容瀑布犹如一条白色的绸缎挂在山前。

[4]银河:又名天河、河汉、云汉等,就是我们今天说的银河系。九天:古人认为天有九重,最高处就是九天。

导读

这首绝句用夸张的比喻，形象地勾画出了壮观的庐山瀑布。第一句先写庐山的香炉峰如一座顶天立地的香炉，冉冉升起了团团白烟，缥缈于青山蓝天之间，在红日的照射下化成一片紫色的云霞。第二句说瀑布在阳光照射下犹如一条巨大的白色绸缎挂在香炉峰上，这个想象可谓非常奇特，"挂"字化动为静，惟妙惟肖地表现出倾泻的瀑布在"遥看"中的形象。前两句是实写庐山瀑布，一句写瀑布的大背景，一句写从远处看庐山瀑布的情形；一句是静中有动，一句是动中有静，动静结合，使画面充满了勃勃生机。后两句是虚写庐山瀑布，诗人采用夸张的修辞方法，运用想象之词，将庐山瀑布的雄奇、壮观推到了极致。"飞流直下"四个字将瀑布喷涌而出的气势和盘托出，使人仿佛能感受到瀑流溅到身上的水珠，听到那震耳欲聋的轰响。"三千尺"既是极写瀑布"飞流"落差之大之长，也是对前一句"挂前川"的补充。"落"字活画出高空突兀、巨流倾泻的磅礴气势，"疑是银河落九天"虽然奇特，但在诗中并不是凭空而来，而是在形象的刻画中自然地生发出来的。它夸张而又自然，新奇而又真切，从而振起全篇，使得整个形象变得丰富多彩，既给人留下了深刻的印象，更是将天上和地下，想象和现实都糅合在一起，让人们在惊叹之余，产生无尽的遐想。

吟诵提示

这是一首仄起七言绝句，按照吟诵仄起七绝的要求，吟诵的停顿处是第一句的第四个字、第二句的第二个字、第三句的第二个字、第四句的第四个字以及韵字，简单地说就是"四二二四"及韵字。

诗篇写得极为优美、壮观。诗人创作此诗时的心情是非常愉快的，所以兴奋、喜悦是本诗的感情基调。第一句起调应该稍微偏高，仿佛自己也来到庐山瀑布之前，高歌祖国的大好河山。吟诵时除了要处理好需要长吟的

"炉"字和"烟"字外,还应该把握住关键字"生","生"是平声字,又是在七言诗第五个字的位置上,要特别注意,把"生"字读活了,仿佛在面前升起团团紫烟,这样全句就盘活了。第二句除了"看"字必须读为平声、"川"字需长吟外,"挂"字也要特别注意,"挂"字是仄声字,不宜长吟,可以采用适当加重语气的方法以示强调,突出了"挂"字,就可以把瀑布高悬的效果突显出来。第三句的"流"字自然应该长吟,只有长吟才能产生瀑布飞湍的效果;"直下"是说水从山顶飞落,而且这两个字一个是入声字,一个是去声字,都不宜长吟,所以"直下"应该吟得快一些,把瀑布从天而降的声势表现出来;"三"是平声字,又处在七言诗第五个字的位置上,适当长吟,可以突出瀑布之高、水流之长;"尺"虽然是入声字,但它毕竟是在句尾,还是应该适当长吟,为衔接下一句做准备。尾句"银河"二字都是平声,适当长吟,表明庐山瀑布来自天上,与前一句的"三千尺"遥相呼应;"落"是此句的关键字,表明瀑布是从天而降,速度极快,而且"落"又是入声字,所以"落"字绝不能长吟,只能用加重语气的方法突出"落"字的重要性;韵字"天"尤其应该长吟,通过长吟将瀑布直落九天的气势表现出来。

  本诗写得极为壮观,情感高昂兴奋,五个入声字增强了吟诵的难度,但使得吟诵的节奏长短有致,更具有音乐美。

20 赠汪伦[1]

（唐）李白

李白乘舟将欲行，
忽闻岸上踏歌声[2]。
桃花潭水深千尺[3]，
不及汪伦送我情[4]。

赠汪伦

(唐)李白

李白乘舟／将欲行，
忽闻／岸上踏歌声。
桃花／潭水深千尺，
不及汪伦／送我情。

注释

[1]汪伦：又名凤林，曾任泾县县令，当时退居乡里，与王维、李白等有交往。

[2]踏歌：唐代一种民间歌舞的形式，歌者一边唱歌一边用脚踏地打着拍子。

[3]桃花潭：在安徽泾县西南，以风景优美而著称。

[4]不及：比不上。

导读

这是一首临行时写给友人的赠别诗。前两句写诗人结束了桃花潭之旅准备登船走了,忽然听到岸上鼓乐齐鸣,原来是桃花潭的乡亲载歌载舞来为诗人送行了。诗人十分感动,挥笔写下这首千古不朽的诗篇。诗作前两句是叙事,第一句起得平平,说诗人自己要乘舟走了,这是在为下一句造势。果然,第二句一个"忽闻"将诗篇带入高潮。桃花潭的乡亲们载歌载舞来为诗人送行了。这使得诗人激动万分,才有了以下两句的抒情:即使桃花潭的水有千尺之深,也比不上汪伦对"我"的感情深。"不及"二字,以人比物,变无形的情谊为生动的形象,余味无穷。全诗语言自然流畅,风格清新开朗,具有浓郁的生活气息。据说到宋代的时候汪伦的子孙还珍重地保存着这首赠诗的手迹。

吟诵提示

这是一首仄起的七言绝句,按照吟诵格律诗的要求,吟诵的停顿处是第一句的第四个字、第二句的第二个字、第三句的第二个字、第四句的第四个字以及韵字,简单地说就是"四二二四"及韵字。

本诗的感情基调是喜悦、兴奋。吟诵第一句时要起得高一些,"将"是平声字,又是在七言诗第五个字的位置上,应该突出,以表明诗人此时马上就要离开桃花潭了。吟诵第二句时"闻"字很关键,正是诗人听到歌声响起才有此诗,而且"闻"字还在节奏点上,长吟十分必要;"踏歌声"三字要吟诵得婉转一些,把朋友对李白的情谊表现出来。第三句是一个过渡,是为最后一句做铺垫的,语气可以稍微放缓,而且这一句有五个平声,也不宜高声吟诵;"千"字在七言诗第六个字的位置上,又是平声,可以通过长吟把桃花潭的深度吟出来,为下一句的抒情打基础。最后一句是全诗的高潮,吟诵时要全面放开,把诗人与友人的深情厚谊倾泻出来;汪伦是诗人的朋友,"汪伦"二字要深情长吟;最后的"情"字更是要动情长吟,将李白对友人的深情厚谊真切地表现出来。

21 黄鹤楼送孟浩然之广陵[1]

（唐）李白

故人西辞黄鹤楼，[2]
烟花三月下扬州。[3]
孤帆远影碧空尽，
唯见长江天际流。[4]

黄鹤楼送孟浩然之广陵

(唐)李白

故人西辞／黄鹤楼，
● ○ ○ ○　○ ● △

烟花／三月下扬州。
○ ○　● ● ○ ○ △

孤帆／远影碧空尽，
○ ○　● ● ● ○ ●

唯见长江／天际流。
○ ● ○ ○　○ ● △

注释

[1]黄鹤楼：故址在今湖北武汉市蛇山的黄鹄矶头，凭楼远眺，极目千里，为古代名胜之一，现拆迁至附近的高观山。孟浩然：唐代著名诗人，李白的好友，参见《春晓》诗的"作者介绍"。之：往，到。广陵：今江苏扬州。

[2]故人：老朋友。西辞：黄鹤楼在广陵之西，辞别黄鹤楼去广陵，故称西辞。

[3]烟花：指春天艳丽的景色。下：指顺着长江东下。

[4]唯：只。

导读

这首诗描写的是一次两位飘逸潇洒的诗人充满诗意的离别：它发生在

开元盛世,在烟花三月的季节里,而所去之地是繁花似锦的扬州城。当时扬州城是世界上最繁华的都市之一,"腰缠十万贯,骑鹤下扬州"是很多人向往的事情,风流倜傥的李白自然也不例外,所以说这是一次愉快而又充满着憧憬的离别。本诗前两句点明了离别的人物、地点、时间和即将去的地方,"烟花三月",不仅再现了那暮春时节、繁华之地的迷人景色,而且也透露了时代气氛。后两句写李白把朋友送上船,船已经扬帆而去,而他还在江边极目远送,直到帆影消逝在碧空尽头,只能看到江水浩浩荡荡地流向水天交接之处,可见目送时间之长。"唯见长江天际流"不仅写出了眼前之景,也写出了李白对朋友的一片深情如流向天际的一江春水,无穷无尽,无休无止。

吟诵提示

这首诗第一句的"人"字平声,不合格律,仍按仄起七言绝句的规则,吟诵的停顿处是第一句的第四个字、第二句的第二个字、第三句的第二个字、第四句的第四个字以及韵字,简单地说就是"四二二四"及韵字。

这是一首描写送别的诗,总体格调绵远悠长,情真意切。这首诗对时间的处理,用的是慢节奏。先从辞别的一瞬间,延伸至启程的一刹那,再延伸到目送孤帆渐行渐远渐无影,进而延伸为"唯见长江天际流",引入无穷无尽的境界。因时间的延伸,空间也渐次展开,由黄鹤楼而近水远山,直到长江滚滚东逝、一望无际。时空没入无限苍茫之中,便产生了回荡不尽的离情别绪。所以吟诵这首诗,总体节奏要放慢,太快了,与诗的意境不相符。

吟诵第一句时"辞"字要略长吟,"楼"字要长吟,突出分别之地——黄鹤楼,也表明孟浩然马上就要离开了。吟诵第二句叙别之景烟花时,"花"字要长吟,引出辞别之时——三月;"州"是韵字,自然要长吟,强调所往之乡——扬州。第三句中"帆"字要长吟,表现诗人依依不舍的心情;"空"字略长吟,孤帆渐行渐远,眼力渐至极限,为最后一句做铺垫。吟诵末句时,要把诗人之间的深情厚谊显现出来,"江"字长吟,表现滚滚东逝、一望无际的长江;最后的"流"字更是要动情长吟,把诗人离思无涯的愁情表现出来。

22 早发白帝城[1]

（唐）李白

朝辞白帝彩云间，
千里江陵一日还。[2]
两岸猿声啼不住，[3]
轻舟已过万重山。[4]

早发白帝城

（唐）李白

朝辞／白帝彩云间，
○ ○ ● ● ● ○ △
千里江陵／一日还。
○ ● ○ ● ● △
两岸猿声／啼不住，
● ● ● ● ● ●
轻舟／已过万重山。
○ ○ ● ● ○ ○ △

> 注释

[1] 早发：早上出发。白帝城：在今重庆市奉节县东面的白帝山上。

[2] 江陵：今湖北江陵。古人认为从白帝城到江陵有一千多里，而实际上只有六百多里，这是古今计量单位不同造成的。这里说"千里"是大略的说法，形容两地相距之远。

[3] 猿声：古时候长江两岸高山上生活有许多猿猴，深秋、初冬季节，猿猴经常哀叫啼鸣。长江上的船夫说：长江三峡中巫峡最长，猿猴哀鸣三声，人听了也会泪洒衣裳。

[4] 万重山：形容山很多，一座连一座。

导读

安史之乱时,李白加入永王李璘的幕府以抗击叛军。不料,永王李璘在统治集团内部的斗争中失败,李白也因此获罪被流放到夜郎,途经白帝城时遇上皇帝大赦,李白欣喜若狂,乘船返回,并作此诗。本诗是诗人描写自己清晨乘船从白帝城顺江而下,犹如御风而行,一天就从白帝城来到江陵。船行走得快,反映了诗人心情愉快,更反映了诗人希望结束流放生活、渴望获得新生的急切心理。第一句点明自己清晨乘船离开白帝城的喜悦心情。白帝城是诗人流放的最后一站,也是诗人开始新生活的第一站,诗人想早一点离开白帝城,早一点结束这流放的生活,所以他要"朝辞"。能够以无罪之身开始新生活的时候,诗人的心情可想而知,"彩云间"既是写出白帝城的位置,更是诗人喜悦心情的反映。第二句以"千里"和"一日"作对比,极言船行之快。第三句很不好解释,因为古人说猿猴的哀鸣都是表示心情不好的意思,此时诗人的心情很好,为什么要说猿鸣呢?这是因为诗人遇赦的愉悦是任何情绪都无法替代的,所以听到猿鸣也不为所动,你哀鸣你的,我走我的,不因为猿猴的哀鸣而驻舟不行,而是乘风破浪,继续前进。最后一句,自然是在猿鸣声中,诗人的小船越过一座座高山,到达目的地了。全诗气势豪爽,笔姿骏利,空灵飞动,挺拔飘逸,后人说此诗有"惊风雨而泣鬼神"的效果,可谓最恰当的评价。

吟诵提示

这是一首标准的平起七言绝句,按照要求,吟诵的停顿处是第一句的第二个字、第二句的第四个字、第三句的第四个字、第四句的第二个字以及韵字,简单地说就是"二四四二"及韵字。

这首诗是诗人无辜获罪而又侥幸被赦免时所作,所以喜悦、兴奋、情绪激昂是本诗的感情基调,吟诵时必须把握住这一点。第一句要起得高昂,才能表现出诗人辞别白帝城的喜悦之情；特别是"彩云间"应尽可能地高，"云"字是平声字，可以加重语气，适当长吟，让人有身在云端的感觉，为衔接下一句打下基础。第二句写顺江而下，吟诵应该轻快，把轻舟日行千里的气势表现出来。"一日"两个入声字连用，给人以非常急促之感；"还"是韵字，自然应该长吟，此处长吟还有调整吟诵节奏的作用，为衔接下一句做准备。吟诵第三句时语气应该放轻，语速可以适当放慢一点点，感情稍微凝重一些，如蜻蜓点水一样，一沾即开，不可滞留。"啼"字是平声字，可以长吟，但"啼"字在这里作用非同小可，反映了诗人复杂的心理，又是在七言诗第五个字的位置上，应该通过加重语气的方法，把诗人的心理活动表现出来。最后一句，要吟出诗人又回到愉悦的现实，要迅速把心头那一丝不快抹去，表现出喜悦兴奋的心情，语速可以稍微加快一点，尤其是"轻舟"二字，本来应该一滑而过，表明轻舟行进速度之快，但"舟"字在节奏点上，长吟重读是必然的，所以只能轻读、快读"轻"字，"舟"字仍然得长吟；"万""山"二字都是诗人用情极深之处，必须吟得实大声宏，才能把诗人此时激动的心情宣泄出来。

23 望天门山[1]

（唐）李白

天门中断楚江开，[2]
碧水东流至此回。[3]
两岸青山相对出，[4]
孤帆一片日边来。[5]

望天门山

(唐)李白

天门/中断楚江开,
○ ○　○ ● ● ○ △

碧水东流/至此回。
● ● ○ ○　● ● △

两岸青山/相对出,
● ● ○ ○　○ ● ●

孤帆/一片日边来。
○ ○　● ● ● ○ △

注释

[1]天门山:是安徽当涂县的东梁山与和县的西梁山的合称,两座山隔着长江相对,好像一个天然的门户,所以称作"天门山"。

[2]中断:指长江从中间把两座山隔断。楚江:指流经安徽境内的长江,安徽在古代属于楚国,所以称流经这里的长江叫"楚江"。开:分开,断开。

[3]回:环绕,旋流。形容江水在这里因山势而产生旋流的变化。

[4]出:出现,显露。

[5]孤帆:指一只船。

导读

这首诗主要写远望所见天门山壮美的景色。第一句借山势来写水的汹涌,一个"断"字形象地写出了长江怒涛汹涌撞开天门山的景象,纯粹的自然景象仿佛也有了巨大的生命力,显示出冲决一切阻碍的神奇力量。第二句借水势来写山的奇险,由于两山夹峙,浩瀚的长江流经两山间的狭窄通道时,激起回旋,形成波涛汹涌的奇观。第三句专写天门山,"出"字使本来静止不动的山带上了动态美,而且寓含了舟中人的新鲜喜悦之感。夹江对峙的天门山,似乎正迎面向自己走来,表示它对江上来客的欢迎。第四句"孤帆一片日边来"传神地描绘出孤帆乘风破浪,越来越靠近天门山的情景。

吟诵提示

这是一首平起的七言绝句,按照规则,吟诵的停顿处是第一句的第二个字、第二句的第四个字、第三句的第四个字、第四句的第二个字以及韵字,简单地说就是"二四四二"及韵字。

这首诗的总体格调大气磅礴、豪迈激昂,吟诵时要把握好豪放、阳刚这一基调。第一句起调略高昂,"门"字长吟,显示天门之宏大;"断"字要加重语气,振起有力,仿佛长江波涛汹涌,撞断了山,打开了天门,带起后面的韵字"开";"开"字要适当长吟,让人有身在江边的感觉,为衔接下一句打下基础。第二句写长江东流而下,吟诵时要轻快,把滚滚长江的气势表现出来。"流"字长吟,显示不舍昼夜;"回"在这里可读作 huái,与"开""来"押韵。第三句"山"字长吟,突出一静;"出"是入声字,短促,与"山"呼应,仿佛"山"也动起来了。第四句吟诵时,语气应该放轻,语速可以适当放慢一点点,"帆"字是节奏点的平声字,可以长吟,长江远处,一叶扁舟扬帆而来;"来"字长吟,音调略高一些,把诗人的豪迈之情、兴奋之情表现出来。

24 别董大[1]

（唐）高适

千里黄云白日曛[2]，
北风吹雁雪纷纷。
莫愁前路无知己，
天下谁人不识君[3]。

别董大

(唐)高适

千里黄云/白日曛,
○●○○　●●△
北风/吹雁雪纷纷。
●○　○●●○△
莫愁/前路无知己,
●○　○●○○●
天下谁人/不识君。
○●○○　●●△

作者介绍

高适(约700—765),唐代诗人。字达夫,渤海蓨(今河北景县)人。早年潦倒失意,曾往来东北边陲。年近五十,应举及第,任过县尉、掌书记等职。安史乱起,以监察御史佐守潼关,后官至刺史、节度使,晚年封渤海县侯,终散骑常侍,世称"高常侍"。擅长写作边塞诗,是唐代边塞诗派的代表作家,与诗人岑参齐名,并称"高岑"。

注释

[1]董大:唐玄宗时著名的琴客董庭兰。唐朝有以排行称呼别人的习惯,他在兄弟中排行第一,故称"董大"。

[2]千里:满天的意思。黄云:天上的乌云,在阳光下乌云是暗黄色,所以叫黄云。曛:昏暗。白日曛,黯淡无光。

[3]谁人:哪个人。识:认识,赏识。君:你,这里指董大。

导读

《别董大》共两首,这是其中的一首送别诗。前两句用白描手法直写眼前景物,黄云遮天、北风呼啸、鸿雁惊散、白雪纷飞。此处以景写情,用令人压抑不快的景色渲染离别气氛,衬托凄凉心情,为下文的转折做了很好的铺垫,更好地体现了文辞的婉转、诗人用心的真诚和友情的深挚。后两句朴质而豪爽,于宽慰之中充满信心和力量:千万不要为前面路上没有知己犯愁,天下又有谁不认识你呢?

吟诵提示

这是一首仄起的七言绝句,按照吟诵格律诗的规则,吟诵时的停顿处是第一句的第四个字、第二句的第二个字、第三句的第二个字、第四句的第四个字以及韵字,简单地说就是"四二二四"及韵字。

这首诗的总体格调悲凉慷慨,豪放豁达。诗人当时处在困顿不达的境遇,但他没有沮丧、沉沦,反而表露出对友人远行的劝慰、关爱,展现出诗人豪迈豁达的胸襟,可以用深沉豪迈、情真意切的基调来吟诵。本诗入声字较多,吟诵有一定难度。前两句用眼前景色表达别离心绪。第二句中的"雪"字虽是入声字,在这里不宜长吟,但可以重读,以彰显特殊的环境;"纷纷"二字要吟得清晰而音长,凸显出苍凉的气象。后两句激励朋友用积极的人生态度面对未来,可以用激情昂扬的声调来吟诵。第三句重读"莫"字,长吟"愁"字,将对友人的劝慰之情款款道来。第四句长吟"君"字,表达诗人颂扬友人、劝慰友人的深情厚谊。

25 绝句[1]

（唐）杜甫

两个黄鹂鸣翠柳，[2]
一行白鹭上青天。[3]
窗含西岭千秋雪，[4]
门泊东吴万里船。[5]

绝　句

(唐) 杜甫

两个黄鹂／鸣翠柳，
一行／白鹭上青天。
窗含／西岭千秋雪，
门泊东吴／万里船。

作者介绍

杜甫(712—770)，唐代诗人。字子美，原籍襄阳，曾祖时迁居河南府巩县(今河南巩义市西南)。杜甫七岁能作诗文，青年时代曾漫游吴、越、齐、鲁，三十五岁到长安求仕，为权奸所排，很不得志。天宝十载(751)才以进《三大礼赋》而受玄宗赏识，命待制集贤院。安史之乱发生前夕，被授予右卫率府胄曹参军，在安史之乱中被困城中半年，后逃至凤翔，官拜右拾遗。因上书营救房琯触怒肃宗皇帝，被放还省亲。数年后与家人漂泊至成都，筑草堂于浣花溪，世称"杜甫草堂"。一度任检校工部员外郎，故后人称"杜工部"。晚年再次携家漂泊湖南一带，病逝于湘水舟中。杜甫的诗歌真切而深刻地写出了安史之乱前后朝政的腐败和人民的悲哀；歌颂祖国的大好河山，表达个人的身世之感，也是杜诗的重要内容。杜甫诗风沉郁顿挫，深婉绵密,达到了中国古代诗歌艺术的高峰,对后代影响极为深远。

注释

[1]绝句:格律诗的一种形式,只有四句,是律诗的一半。绝句每一句是七个字的叫作七言绝句,简称七绝;每一句是五个字的叫作五言绝句,简称五绝。七绝、五绝或绝句都可以作为诗的题目,只是表明这是一首什么体裁的诗,没有什么含义。

[2]黄鹂:又名黄莺,黄色羽毛,叫声悦耳。

[3]白鹭:一种羽毛为白色的水鸟。

[4]窗含:从窗户里面向外面看,仿佛外面的景物是镶嵌在窗户框里的风景画。西岭:指成都西面的岷山。

[5]东吴:三国时期,孙权建国江南,称为东吴,这里泛指江南地区。

导读

这首诗是诗人居住在成都草堂时创作的一首脍炙人口的写景诗。前两句以青天、绿柳为背景,以鸣叫的黄鹂、飞翔的白鹭为主体,组成一幅青绿搭配、黄白相间、浓淡有致、动静结合的精美画面。尤其是黄鹂在绿柳间鸣叫,白鹭在青天上翱翔,给人以有声有色、生机勃勃之感,把诗人欢快喜悦之情和盘托出。后两句是说诗人临窗远眺岷山上终年不化的皑皑白雪,近看江边停泊的来自四面八方的船只。能看到皑皑白雪,说明此时是晴空万里,这又映照了前两句的青天绿柳、莺鸣鹭飞;门前能停泊万里之外来的航船,说明社会安定祥和。所以此二句,不仅是一幅有远有近、有山有水的精美风景画,而且还抒发了诗人浓郁的喜悦之情、热切的期望之情。诗人通过讴歌自然之美,表现出内心的喜悦欢快,表现出对生活的热爱,也表现出对和睦社会的向往。本诗一句一景,可以分为四幅独立的风景画来欣赏,更可以合成一幅山水画来品味,这是因为全诗的意境是统一的,情感基调是统一的,所以无论是拆开了看还是合起来看,都是一致的,这才是高明的诗作,才称得起"绝唱"二字。

吟诵提示

本诗是一首仄起的七言绝句,按照吟诵格律诗的要求,吟诵的停顿处是第一句的第四个字、第二句的第二个字、第三句的第二个字、第四句的第四个字以及韵字,简单地说就是"四二二四"及韵字。本诗有一个特点,就是一、二句对仗,三、四句对仗,而且对仗非常工整。

本诗通过对草堂周围青天、绿柳、黄鹂、白鹭以及岷山上皑皑白雪的描绘,抒发了诗人对自然、对生活、对未来的喜爱和憧憬,所以,喜悦、欢快是本诗的感情基调。在吟诵时,一般来说是平声低一些,仄声高一些。所以第一句的"两个"二字要起得高一些,这样给吟诵"黄鹂"二字留下一定的空间;"鸣"是平声字,又在第五个字的位置上,要适当长吟,而且语气要有所加强,这样能令人仿佛听到黄鹂在绿柳中愉快地歌唱。第二句中的"青"是平声字,要长吟;"天"是平声字,还是韵字,也要长吟,这不仅是吟诵的需要,也是表达诗意的需要,只有长吟,才能把白鹭展翅高飞的情景表现出来。第三句的"含"字在节奏点上,长吟是必须的,只有长吟才能把窗外的景象纳入眼底;"千"在七言诗第五个字的位置上,又是平声,一定要适当长吟,才能把千年的积雪景象表现出来;句尾的"雪"虽说是入声字,但为了将句与句分隔开来,还是要给它适当的吟诵空间。诗人在尾句中抒发的感情比较丰富,由眼前的景色,联想到通航的便利预示着社会的稳定祥和、人民的安居乐业,所以吟诵时可以稍微慢一些,把复杂的感情含蓄地表达出来。"万里"二字虽然都是仄声字,不能长吟,但在诗中地位十分重要,可以给它们一定的空间,还可以采用加重语气的方法,表示强调。

26 春夜喜雨 [1]

（唐）杜甫

好雨知时节，[2]
当春乃发生。[3]
随风潜入夜，[4]
润物细无声。
野径云俱黑，[5]
江船火独明。[6]
晓看红湿处，[7]
花重锦官城。[8]

春夜喜雨

（唐）杜甫

好雨知时/节，
● ● ○ ○ ●

当春/乃发生。
○ ○ ● ● △

随风/潜入夜，
○ ○ ○ ● ●

润物细无/声。
● ● ● ○ △

野径云俱/黑，
● ● ○ ● ●

江船/火独明。
○ ○ ● ● △

晓看/红湿处，
● ○ ○ ● ●

花重锦官/城。
○ ● ● ○ △

注释

[1] 喜雨：令人欣喜的雨。

[2]知时节:知道在什么时节降临大地。这是拟人的说法,形容雨似乎懂得人们的需要,适时地出现了。

[3]当:正当。乃:就。

[4]潜:暗中,悄悄地,这里描写春雨在夜里不知不觉地下起来的样子。

[5]野径:田野的小路。云俱黑:云里没有星光,天上地下黑成一片。

[6]火:渔船上的灯光。

[7]晓:天明,清晨。红湿处:指树头的花红润一片。

[8]重:形容花儿沾上雨水后沉甸甸的样子。锦官城:成都的别称。成都以产锦著名,古代曾设官于此管理其事,故名。

导读

这首诗是于唐肃宗上元二年(761)的春天,杜甫在成都草堂居住时所作。诗中赞美来得及时、滋润万物的春雨,表达了诗人的喜悦之情。头两句点出下雨的时节,是万物萌生、渴望雨露滋润的春天,而这雨好像懂得人们的期盼,来得正是时候!这么好的雨,下起来是什么样子呢?接下来的两句,不但写出了雨的"样子",还画出了雨的"神情":它随风而来,轻轻巧巧,不动声色,而万物都感受到了它的滋润。一个"潜"字,一个"细"字,十分精确、传神地写出春天细雨的情态。第五、第六两句的"黑""明"二字对比十分强烈,以漆黑夜晚远望江上渔火写出了诗人觉察到春雨时的喜悦心情。他禁不住联想到第二天一早,枝头上喝足了春雨的朵朵鲜花,一定更加浓艳饱满,更加精神地装扮着这座美丽的城市。整首诗句句写春雨,处处透着喜气,却始终不用"喜"字,笔法高妙。

吟诵提示

这是一首仄起的五言律诗,按照吟诵格律诗的要求,吟诵的停顿处是第一句的第四个字、第二句的第二个字、第三句的第二个字、第四句的第四个字、第五句的第四个字、第六句的第二个字、第七句的第二个字、第八句的第四个字以及韵字,简单地说就是"四二二四四二二四"及韵字。

俗话说:"春雨贵如油。"经过一夜的春风,一夜的春雨,人们拂晓起来,感到空气湿润,看到万物复苏,想到今年一定有个好收成,心中一定十分喜悦。故此诗的感情基调就是喜悦,是一种会心的喜悦,是一种很含蓄的喜悦。第一句的"知"字适当长吟,这不仅仅是它在五言诗第三个字的位置上,而且此字将春雨拟人化了,仿佛春雨知道人们正迫切需要它时,它如期来了。同样,第三句的"潜"字也应该长吟,而且应该降低音调,表示是"潜"。第六句的"独"是入声字,可重读来表现它是独一无二的。第七句的"看"字,读为平声。吟诵此诗,起调不宜太高,语速不宜太快,这样才能把诗人清晨起来看到此情此景的喜悦表现出来,才能把文人那种含蓄的喜悦表现出来。

27 绝句

（唐）杜甫

迟日江山丽,[1]
春风花草香。
泥融飞燕子,[2]
沙暖睡鸳鸯。[3]

绝 句

(唐)杜甫

迟日江山／丽，
○●○○●
春风／花草香。
○○○●△
泥融／飞燕子，
○○○●●
沙暖睡鸳／鸯。
○●●○△

注释

[1] 迟日：春日。《诗经·豳风·七月》中有"春日迟迟"，意思是春天日长夜短，好像太阳在天空中走得很慢一样。

[2] 泥融：春天气温升高，冻土融化。

[3] 鸳鸯：一种水鸟，雄鸟和雌鸟常常是形影不离。

导读

本诗以清新俊秀的语言，描绘了一个绚丽多彩、生机勃勃的春天。前两句是对春天、对自然景色作宏观、静态描写。春日煦煦，江山分外多娇；春风习习，花草香味四溢。"江山丽""花草香"对仗十分工整，让人尽情地想象江山是多么壮丽,花草是多么幽香,春天是多么美好。后两句是从微观的角度,通过动态的描写,展现春天的可亲可爱。家燕飞来飞去忙着啄泥筑巢,显示春天的忙碌;鸳鸯却是雌雄相拥在暖和的沙堆上歇息,又表现出生活的闲适和惬意。作品正是通过动与静、宏观与微观的全面叙写,给我们描绘一幅绚美的春光图,从侧面反映出诗人对春天、对生活、对蜀中大地的喜爱、眷恋之情。

吟诵提示

这是一首仄起的五言绝句,按照吟诵格律诗的要求,吟诵的停顿处是第一句的第四个字、第二句的第二个字、第三句的第二个字、第四句的第四个字以及韵字,简单地说就是"四二二四"及韵字。

这首诗描写了春天的明媚,表达了诗人内心的喜悦,所以其感情基调是轻松、喜悦、欢快。第一句的节奏点在"山"字上,自然应该长吟,通过长吟将蜀中大地辽阔无垠的意境展现出来;"丽"字虽然不是韵字,但它在句尾,也应该适当长吟,通过长吟将诗人对春日高照下的壮丽秀美江山的喜爱之情淋漓尽致地表现出来。第二句前三个字都是平声,不是很好处理。"风"字在节奏点上,应该长吟;为了突出"风"字,"春"字可以一滑而过;"花"字在五言诗第三个字的位置上,可以适当提高音调,以带动后面的"草"字。韵字必须长吟,方能把花草的香味吟出来。第三句长吟"融"字,注意"飞"字,把"飞"字吟活了,这一句就活了。最后一句节奏点虽然在"鸳"字上,但是对"睡"字必须注意,把"睡"字吟活了,才能把诗人的惬意心情表现出来。

28 江畔独步寻花[1]

(唐)杜甫

黄师塔前江水东,[2]
春光懒困倚微风。
桃花一簇开无主,[3]
可爱深红爱浅红?[4]

江畔独步寻花

(唐)杜甫

黄师塔前/江水东,
○ ○ ● ○　○ ● △

春光/懒困倚微风。
○ ○　● ● ● ○ △

桃花/一簇开无主,
○ ○　● ● ○ ○ ●

可爱深红/爱浅红?
● ● ○ ○　● ● △

注释

[1]江畔:江边。独步:独自散步。

[2]黄师塔:一位姓黄的僧人的墓所。当时蜀人称僧人为"师",称僧墓为"塔"。

[3]无主:不知主人是谁。

[4]可爱深红爱浅红:是深红色的可爱呢,还是浅红色的更可爱呢?可,表示一种疑问语气。

导读

这是诗人居住于浣花溪时所作,时间在上元元年。原诗题为"江畔独步寻花七绝句",本诗为其五。诗人独自在江边散步,行至黄师塔前,被塔前一簇桃花吸引,于是作此诗。前两句写诗人写作的时间、地点及心情,时间是仲春,地点在长江边黄师塔前,诗人此时的生活比较安逸,心情十分轻松、惬意,所以诗里洋溢着一种轻松愉悦的气息,这样才能"懒困倚微风"。我们一般都说春风拂面、微风吹拂,诗人却说"倚微风",一个"倚"字把诗人"懒困"的神态表现出来,把诗人轻松、惬意的心情表现出来。后两句写桃花的鲜艳,桃花不多,仅仅是一簇,但就是这一簇桃花,将春天装扮得格外绚丽多彩,美丽的桃花却没有人去欣赏,诗人为盛开的桃花感到遗憾,所以要仔细欣赏这些鲜艳的桃花。桃花有深红色的,还有浅红色的,诗人问读者,你是喜欢深红色的还是喜欢浅红色的呢？诗人这里用了一个疑问句,使诗篇的气氛更为生动、活跃。

吟诵提示

这是一首不算十分标准的仄起七言绝句。按照吟诵格律诗的要求,吟诵的停顿处是第一句的第四个字、第二句的第二个字、第三句的第二个字、第四句的第四个字以及韵字,简单地说就是"四二二四"及韵字。

本诗是歌咏春光的抒情诗,轻松、自然、喜悦是本诗的情感基调,吟诵时要以此为根据。按照一般仄起绝句的规定,第一句第二个字应该是仄声字,但此处"黄师塔"是专有名称,不能随意改变专有名称,所以第二个字不能改变,但此诗还是按照七言仄起绝句处理为好;吟诵时,"师"字不能按在节奏点上或者韵字处理,如果节奏点上的字长吟一拍,此处就长吟三分之一拍;"江"是平声字,又是在第五个字的位置上,也应该适当长吟;考虑前面的"师""前"二字都已长吟,"东"是韵字,还必须长吟,这样"江"字半吟比较适宜。第一句有五个平声字,其中三个必须适当长吟,所以吟诵起来难度较大。第二句的"春光"都是平声字,吟诵的重点在"光"字上,通过长吟把诗人对春天的喜爱和心情的愉悦都表现出来;同时对"倚"字要特别注意,把"倚"字吟活了,才能把诗人的"懒困"神态表现出来。第三句的节奏点在

"花"字上,通过长吟把诗人对桃花的宠爱、欣赏都表现出来;"开无主"三字也应该注意,强调这么艳美的桃花竟然没人欣赏,不是太不公平了?所以吟诵"开无主"时,感情可以稍微激烈一些,把诗人要为桃花抱不平的心情表现出来。尾句语气要轻松,甚至带有一丝调侃的味道,你是喜欢深红色的桃花还是喜欢浅红色的桃花呢?两个"红"字一个在节奏点上,一个是韵字,都必须长吟;两个"爱"字的处理应该有所不同,第一个"爱"字应该一滑而过,第二个"爱"字在第五个字的位置上,可以适当长吟,给人一个选择的空间。总之,这首诗的吟诵还是有一定难度的,尤其是第一句的吟诵,要特别注意。同时,要想把诗人的情感真正表现出来,还是需要下一定功夫的。

29 枫桥夜泊[1]

（唐）张继

月落乌啼霜满天，
江枫渔火对愁眠。[2]
姑苏城外寒山寺，[3]
夜半钟声到客船。[4]

枫桥夜泊

(唐)张继

月落乌啼／霜满天，

江枫／渔火对愁眠。

姑苏／城外寒山寺，

夜半钟声／到客船。

作者介绍

张继(生卒年不详)，唐代诗人。字懿孙，襄州(今湖北襄樊)人。天宝十二载(753)登进士第。至德元载(756)避地江左，游历杭州、苏州、越州、润州等地。大历中以检校祠部员外郎分掌财赋于洪州，大历末逝世于此。他与诗人刘长卿、皇甫冉交往密切。存诗四十余首，《全唐诗》编为一卷。

注释

[1] 枫桥：在今江苏苏州市西枫桥镇。夜泊：夜晚把船停靠在岸边。

[2] 江枫：水边的枫树。渔火：渔船上的灯火。

[3] 姑苏：苏州的别称。苏州西南有一座姑苏山，所以苏州城也叫姑苏

城。寒山寺：在今江苏苏州市西枫桥镇，距枫桥不远。

[4]夜半钟声：唐宋时寺院有半夜敲钟的习俗。

导读

本诗通过写江边静夜的景致来抒发作者的羁旅愁怀。题为"夜泊"，实际上只写"夜半"时分的景象与感受，第一句"月落"写所见，"乌啼"写所闻，"霜满天"写所感，层次分明地体现出一个先后承接的时间过程和感觉过程。"霜满天"通过虚写的方式来表现深夜茫茫水汽的寒意，正像是弥漫在空中的漫天霜华。第二句"江枫"与"渔火"，一静一动，一暗一明，一江边一江上，通过不同景物的搭配组合写出了羁旅之夜的宁静，一个"对"字似乎可以让人们感觉到舟中的旅人和舟外的景物之间一种无言的交融和契合。后两句只写了夜闻钟声这一件事，而这钟声是诗人得到的最为深刻、最具有诗意的感觉印象，前面种种景物的描写都只是为钟声的出现作铺垫，尤为值得一提的是，这是寒山寺的钟声，是带着悠久的历史沧桑感的钟声，古雅而又庄严，"夜半钟声"不但衬托出了夜的静谧，而且能够让我们更容易体会到诗人卧听疏钟时的孤愁情怀。

吟诵提示

这是一首仄起的七言绝句，按照吟诵格律诗的要求，吟诵的停顿处是第一句的第四个字、第二句的第二个字、第三句的第二个字、第四句的第四个字及韵字，简单地说就是"四二二四"及韵字。

这首诗反映了诗人羁旅在外的孤愁寂寞情怀，所以全诗的情感基调是感伤、忧愁，吟诵时应该平和缓慢，如诉家常，娓娓道来，切忌情绪大起大落。第一句的"霜"是平声字，又是在第五个字的位置上，可以长吟以示时间为清晨。第二句情感极为丰富，吟诵时要特别注意。"愁"是平声字，又是在第六个字的位置上，属于可以长吟也可以不长吟的字，此处必须长吟，方能把诗人的忧愁、孤寂、苦闷表现出来。正因为第二句的感情比较低沉,第三句诗人用了一个叙述性质的句子作为缓冲、过渡。但此句用了两个地名:"姑苏"是两个平声字,"寒山"也是两个平声字,当然这四个字不能都长吟,只能将"苏"字和"寒"字长吟,吟诵时要特别注意。最后一句的"到"虽然是仄声字,不宜长吟,但后面的"客"是入声字,更不能长吟,所以"到"字不仅可以适当加重语气,还可以适当长吟以示重视。总之,吟诵此诗,语气应该缓慢,音调应该适当放低,这样才符合诗人作诗时的心态。

30 滁州西涧[1]

（唐）韦应物

独怜幽草涧边生，[2]
上有黄鹂深树鸣。[3]
春潮带雨晚来急，[4]
野渡无人舟自横。[5]

滁州西涧

（唐）韦应物

独怜／幽草涧边生，
● ○ ○ ● ● ○ △

上有黄鹂／深树鸣。
● ● ○ ○ ○ ● △

春潮／带雨晚来急，
○ ○ ● ● ● ○ ●

野渡无人／舟自横。
● ● ○ ○ ○ ● △

作者介绍

韦应物（约737—791），唐代诗人。京兆万年（今陕西西安）人。家本名门大族，至父辈已渐衰微。天宝十载（751）以门资恩荫入宫为"三卫郎"（即玄宗侍卫），安史乱军入长安时失职流落，乾元元年（758）重入太学。任过县丞、县令、刺史等职，最后任的是苏州刺史，世称"韦苏州"。其作品以山水田园诗最著名，上承陶渊明、谢灵运，与王维、孟浩然、柳宗元并称"王孟韦柳"。

注释

[1] 滁州西涧：滁州即今安徽滁州，西涧在州城西面，俗称上马河。

[2]独:唯独,暗自。怜:爱。幽草:幽谷里的小草。

[3]深树:茂密的树丛。

[4]春潮:春天的潮水。

[5]野渡:无人管理的渡口。横:横放着,形容小船随意漂浮的样子。

导读

这首诗写春游西涧赏景和晚雨野渡所见,是诗人的代表作之一,写于诗人出任滁州刺史期间。前两句写春天繁荣的景象中,诗人独爱自甘寂寞的涧边幽草,而对深树上鸣声诱人的黄莺却表示无意,清楚地表露出诗人恬淡的胸襟。后两句写春潮上涨,傍晚又下了一场急雨,流水愈加湍急,古渡口看不到人迹,只见一只小船,悠然自在地横在岸边。整首诗描绘了一幅荒野古渡幽静而有生趣的景象,反映出诗人闲适自得的心情。在前后两句中诗人都用了对比手法,以"幽草"和"黄鹂"对比,以晚潮的急水和悠然的小舟对比,更突出地写出涧边幽草和自横的小舟的幽静和悠然,并用"独怜""急""横"这样醒目的字眼加以强调,表达出一种恬淡的胸襟和忧伤的情怀。其中"野渡无人舟自横"句更是成为广为流传的名句。

吟诵提示

这是一首变体的七言平起绝句。前两句可以按照格律诗的要求吟诵,第一句的第二个字、第二句的第四个字都在节奏点上。第三句本来应该是第四个字在节奏点上,但第四个字是仄声字,第二个字是平声字,节奏点只能放在第二个字上了。第四句第二个字是仄声字,不能长吟,这一句的节奏点只能放在第四个字上了。以上所述再加上韵字,简单地说就是"二四二四"及韵字。

这是一首非常优美的写景诗,诗篇的风格是恬淡自然,其情感基调是轻柔、淡泊,有超然于物外的情怀。第一句吟时就应该十分轻柔,吟诵"怜"字时要饱含深情才能把诗人对小溪旁边茂密的小草的喜爱之情表现出来。第二句"深"是平声字，又是在第五个字的位置上，自然可以长吟，只有长吟才能把黄鹂在高树上鸣唱的意境表现出来，吟诵此句时应该欢愉。第三句的"雨"字不能长吟，长吟的任务只能放在"潮"字上了；长吟"潮"字可以把春潮滚滚的意象表现出来；"晚来急"三字不宜长吟，要把"春潮"、急雨表现出来，慢条斯理是不行的，语速应该快一些。最后一句除"人"字应该长吟外，"舟"字也应该长吟，因为意境全在"舟自横"三字上。因为此诗属于格律诗的变体，所以吟诵起来有一定的难度，尤其是第三句，要特别注意。

31 游子吟[1]

（唐）孟郊

慈母手中线，
游子身上衣。
临行密密缝[2]，
意恐迟迟归[3]。
谁言寸草心[4]，
报得三春晖[5]。

游子吟

（唐）孟郊

慈母手中／线，
○　●　●　○　●

游子身／上衣。
○　●　○　●　△

临行／密密缝，
○　○　●　●　○

意恐迟迟／归。
●　●　○　○　△

谁言／寸草心，
○　○　●　●　○

报得三春／晖。
●　●　○　○　△

作者介绍

孟郊（751—814），唐代诗人。字东野，湖州武康（今浙江德清）人。早年家境贫困，屡试不第，曾漫游湖北、湖南、江西等地。贞元十二年（796）始登进士第，做县尉，常因吟诗废职，辞官奉母归里。元和元年（806）为转运从事、协律郎，九年（814）迁为兴元军节度参谋、大理评事，赴任途中，病逝于阌（wén）乡（今河南灵宝）。孟郊一生穷困潦倒，而为人孤直、不媚世俗。

其诗风清奇僻苦,与贾岛齐名,被苏轼称为"郊寒岛瘦"。

注释

[1] 游子:出门远游的人。

[2] 临:将要。

[3] 意恐:担心。

[4] 寸草心:子女的心。寸草,小草,比喻子女。

[5] 三春晖:喻指慈母之恩。三春,指春季的三个月,农历正月为孟春,二月为仲春,三月为季春。晖,阳光,这里形容母爱如春天的阳光。

导读

本诗是一首赞美母爱的脍炙人口的五言古体诗。孟郊当时已经五十岁,担任溧(lì)阳县尉,把母亲接到任上奉养,写了这首小诗,表达自己对母亲养育之恩的感激。诗的开头两句,直接点出了母子相依为命的骨肉之情。衣服是母亲亲手缝制,是连接母子的中介,游子穿着衣服自然想起了慈母,母亲拿起针线更惦念远游的孩子。中间两句集中写慈母的动作和意态,表现了母亲对儿子的深笃之情。母亲一针一针地缝制寒衣,正是希望把孩子紧紧地"缝"在自己的身旁。游子穿着暖和的寒衣,自然也想起家乡的老母亲。虽无言语,也无泪水,却充溢着爱的纯情,扣人心弦,催人泪下。最后两句是前四句的升华,以通俗形象的比喻,寄托赤子炽烈的情怀,对于春日般的母爱,小草似的儿女怎能报答于万一呢?

吟诵提示

这是一首五言乐府诗,情感略显惆怅,总体格调亲切厚重、真实感人,给人一种向上的力量。吟诵的节奏要慢一些。第一句的平声字"中"拖长音,显示浓浓的亲情;"线"是仄声字,不宜长吟,但是句尾字,可略拖长音。第二句的平声字"身"略拖长音;韵字"衣"要拖长音,显示伟大的母爱。第三句的平声字"行"略拖长音,表明将要远行之意;"缝"虽是平声字,但不是韵字,可略拖长音。第四句"迟迟"中第二个"迟"字略拖长音,表达"恐迟"之意;韵字"归"要拖长音,表达期盼归来之意。第五句的"言""心"虽是平声字,但不是韵字,可略拖长音。第六句的韵字"晖"要适当拖长音,显示诗人对母亲的感激之情。注意,"归"字收音到衣,读作"归——衣"。每句中平声字的关键字声音拖长,但比韵字的音值略短。"密""得"是入声字,要短促,开口即收。最后两句声音略高一些,以突出游子炽烈的情怀。

32 早春呈水部张十八员外[1]

（唐）韩愈

天街小雨润如酥,[2]
草色遥看近却无。[3]
最是一年春好处,[4]
绝胜烟柳满皇都。[5]

早春呈水部张十八员外

(唐)韩愈

天街/小雨润如酥,
○○　●●　○△
草色遥看/近却无。
●●○○　●●△
最是一年/春好处,
●●○○　○●●
绝胜/烟柳满皇都。
●●　○●●○△

作者介绍

韩愈(768—824),唐代文学家、哲学家。字退之,河阳(今河南孟州市南)人,郡望昌黎,后世称为"韩昌黎"。贞元八年(792)进士及第后,做过宣武军节度使观察推官、四门博士、监察御史等,因论事切直多次遭贬,后官至吏部侍郎,去世后朝廷谥为"文",世称"韩吏部""韩文公"。韩愈是唐代古文运动的领袖,居"唐宋八大家"之首,与柳宗元并称"韩柳"。其诗风奇崛雄伟,有些诗篇好发议论,有散文化倾向。

注释

[1]呈:恭敬送给的意思。韩愈的官职比张籍高,诗人这里用"呈"字,

表示对张籍人品和学识的敬重。张籍在兄弟中排行十八,曾任水部员外郎,故称水部张十八员外。

[2]天街:京城里的街道。酥:酥油,奶油,这里形容春雨滋润了大地,像酥油、奶油一样可贵。

[3]遥看:远远地看去。

[4]最是:正是。

[5]绝胜:远远超过。烟柳:春天柳树的叶子长得非常茂盛,远远望去,如同烟雾笼罩一般。皇都:京城。

导读

这是一首描写春天景色的诗作。前两句以白描的手法写春雨,一个"酥"字,将诗人因春雨产生的喜悦之情和盘托出,涵盖了"好雨知时节""春雨贵如油"等无数对春雨的赞美,可谓韵味无穷。细小纤弱的小草,在春雨的滋润之下悄悄露出嫩芽,以至于走到跟前还几乎看不到它们的存在,远远地看去才显出绿莹莹的一片。远看近看,反映了诗人观察事物的仔细和表述事物的准确。后两句诗人由眼前的小草想到了春雨给春天带来的变化,给京城带来的变化,于是写到一年之中最好的是春天,而春天最好的是早春时节的小雨和春草,远远胜过暮春时节烟柳满城的衰落。诗篇讴歌了春雨、春天,讴歌了富有勃勃生机的小草,讴歌了生命和活力。诗作构思新颖,意境幽美,语言清丽,在韩愈的诗中也是不多见的。

吟诵提示

这是一首平起的七言绝句,按照吟诵格律诗的要求,吟诵的停顿处是第一句的第二个字、第二句的第四个字、第三句的第四个字、第四句的第二个字以及韵字,简单地说就是"二四四二"及韵字。

本诗是赞美京城春色的诗作,轻松、恬淡、自然是其情感基调,因此,吟诵此诗，应该不着任何外力，缓缓道来，将诗人对大自然、对春天的喜爱之情，尽情地表现出来。第一句要注意"润如酥"三字的吟诵，平常我们都说"春雨贵如油"，杜甫有"好雨知时节"，所以把"润如酥"三个字吟好了，就能把诗人对春天的喜爱、对春雨的喜爱表现出来。第二句的重点是"遥看"，早春时节，小草才刚刚发芽，轻吟"遥看"，可以将我们带入远远望去春草成片的意境。"看"字此处应该读为平声，才符合平仄的要求。第三句要注意"春"字的吟诵，这是对春天的赞美，是对自然的讴歌，"春"又是平声字，在七言诗第五个字的位置上，应该长吟，并加重语气以示强调。尾句的"胜"在这里读为平声，是在节奏点上的关键字，要通过长吟尽情地赞美春天；"烟柳"也是春天的象征，所以在长吟"胜"字之后，把"烟柳"的重要性也表现出来了；"皇"是平声字，可以长吟；"都"是韵字，更要长吟。吟诵"皇都"二字时要沉稳、虔诚，把对皇都的敬畏之情表现出来。总之，吟诵此诗，不需要情感的大起大落，在缓慢的节奏中，把内心的喜悦之情抒发出来就达到了吟诵的目的。

33 渔歌子[1]

(唐)张志和

西塞山前白鹭飞,[2]
桃花流水鳜鱼肥。[3]
青箬笠,绿蓑衣,[4]
斜风细雨不须归。[5]

渔歌子

（唐）张志和

西塞山前／白鹭飞，
○ ● ○ ○ ● ● △

桃花／流水鳜鱼肥。
○ ○ ○ ● ● ○ △

青／箬笠，绿蓑／衣，
○ ● ● ● ○ △

斜风／细雨不须归。
○ ○ ● ● ● ○ △

作者介绍

张志和（生卒年不详），唐代诗人。初名龟龄，字子同，号烟波钓徒、玄真子、浪迹先生，婺州金华（今属浙江）人。乾元（758—760）、上元（760—761）间游太学，登明经第，肃宗时待诏翰林，后授左金吾卫录事参军，但不久被贬为南浦尉。后来隐居越州会稽多年。大历九年（774）在湖州刺史颜真卿幕，撰《渔歌子》词五首，此词为早期文人词的名篇。

注释

[1]渔歌子：词牌名，又名"渔父""渔父乐""渔夫辞"，分单调和双调。单调五句二十七字，押平声韵；双调五十字，押仄声韵。

［2］西塞山：在今浙江湖州市西。白鹭：一种白色水鸟。

［3］鳜鱼：又名桂鱼、石桂鱼，生活在淡水之中，口大鳞细，肉味鲜美。

［4］箬笠：俗称斗笠，以细竹片和竹叶编制的帽子，用来遮阳挡雨。蓑衣：以稻草和棕麻编制的雨衣。

［5］不须归：不用回去了。

导读

这首词描写了美丽的水乡风光和理想化的渔民生活，表现出作者喜爱自然山水、热衷自由生活的情怀。这首词仅仅用二十七个字，就给我们展现出一幅风景画一般的水乡美景：春天，细雨悄无声息地湿润着大地，桃花盛开，春水畅流，白鹭在空中盘旋，鳜鱼在水中漫游，渔夫头戴箬笠，身披蓑衣，十分惬意地垂钓水面。没有公务催着回去办理，不因下雨而急于赶路，尽情地享受恬淡、自由的隐居生活。作者精通诗词写作，长于书法绘画，通晓音乐，因此在这一首词中，不仅展示了思想境界，还描绘了绚丽多彩的画面：以灰蒙蒙的春雨天为背景，有清澈的春水、盘旋的白鹭、粉色的桃花、青青的箬笠、淡绿的蓑衣，多么和谐的画面啊！词作用字精美，音韵和谐，音调抑扬顿挫，极具音乐之美，为词作增色许多。

吟诵提示

这是一首词，词的吟诵与格律诗的吟诵不同，格律诗的吟诵有明确的规定，按照规定吟诵就不会出错。词又名长短句，每个词牌不同，句子长短参差不齐，吟诵的方式也不同，没有现成的规律可循。本词五句，除第三、第四句外，都是律句，因此吟诵第一、第二、第五句时，可以按照吟诵格律诗的方法去吟诵，这就减少了吟诵的难度。本词押平声韵。

第一句落笔就写西塞山前的景色，吟诵时要尽量展开音域，把青山绿水展现在面前。第二句的"花"字在节奏点上，自然可以长吟，而且要吟得亲切一点,把对桃花的喜爱吟出来;"流"字虽然不在节奏点上,但是平声字,可以适当长吟,造成春水川流不息的气势;"鱼"字也可以适当长吟。作者自命渔夫,春天又是鳜鱼肥美的时候,要通过长吟,把作者对鳜鱼的喜爱表现出来。第三、第四两句,不要吟实了,要吟得闲适、飘逸一些,因为作者不是真正的渔夫,是在表现理想的渔夫生活,所以要吟得轻松一些,吟得悠然自得一些。最后一句"斜风"是两个平声字,但不宜吟得过长,因为这不是疾风,是春天的和风,所以不宜长吟;"细雨"是仄声字,不能长吟,而且要吟得轻一些,因为这是春雨,不是暴雨;"须"字要重点吟诵,词人对生活的惬意、对自然的喜爱、对官场的厌倦及那种"一蓑烟雨任平生"的生活态度都通过"须"字表现出来。

总之,这首词的主题非常鲜明,格调非常轻松,吟诵时不宜纵情高歌。

34 塞下曲[1]

(唐)卢纶

月黑雁飞高,[2]
单于夜遁逃。[3]
欲将轻骑逐,[4]
大雪满弓刀。

塞下曲

(唐) 卢纶

月黑雁飞／高，
单于／夜遁逃。
欲将／轻骑逐，
大雪满弓／刀。

作者介绍

卢纶(约742—约799)，唐代诗人。字允言，河中蒲(今山西永济市西南)人。天宝末至大历初屡试不第，其间避安史之乱客居鄱阳。后经举荐，做过县尉、县令，后官至户部郎中。卢纶在代宗、德宗时期诗名甚著，与钱起、韩翃、司空曙等十人并称"大历十才子"。

注释

[1] 塞下曲：唐代乐府诗的题目，一般写边疆战斗生活。

[2] 月黑：指月亮被云遮住。

[3] 单于：是古代匈奴最高统治者的称号，这里指敌军的首领。遁逃：

逃走。

［4］欲：将要。将：带领，率领。轻骑(旧读 jì)：装备很轻，便于运动的骑兵。

导读

这首诗反映的是古代边塞军事生活的片段。描写了大雪纷飞的夜晚，骁勇的战士准备追逐单于的画面。用"黑"来描写月夜，首先渲染了一种紧张的气氛，突然之间大雁惊起高飞，人们不禁想知道是什么原因在夜晚惊飞了大雁，原来是敌军首领要偷偷逃走。宁静的夜晚，高飞的大雁和狼狈逃窜的单于在茫茫雪原之上构成了一幅颇有动感的画面。后两句并没有具体描写追杀的场景，而是另辟蹊径，写了一支骑兵列队欲出，刹那间弓刀上就落满了大雪的场面，构成了一幅扣人心弦的画面，形象地展现出了将军及所率部队坚决、果断的杀敌精神和全军士气昂扬的英雄气概。这并不是战斗的高潮，而是迫近高潮的时刻。这个时刻，犹如箭在弦上，将发未发，更富有启发性，更能引发读者无限的想象，很好地体现了诗歌的含蓄之美，真正做到了言有尽而意无穷。

吟诵提示

这首《塞下曲》本是乐府古题，但完全符合格律诗的要求，因此可以把这首诗视为仄起的五言绝句。按照吟诵格律诗的要求，吟诵的停顿处是第一句的第四个字、第二句的第二个字、第三句的第二个字、第四句的第四个字以及韵字，简单地说就是"四二二四"及韵字。

这是中唐时期非常著名的一首边塞诗，情感基调应该是气势高昂、激情澎湃。但是吟诵时起调可适当高一点。因为前两句是写单于黑夜遁逃，自然不能高声喧哗，所以不宜高亢，音调不宜太高。"飞"字、"高"字都可以长吟，把北雁南飞的意境表现出来。"夜"是仄声字，不宜长吟，但是它处在五言诗第三个字的位置上，非常重要，可以用提升调值的方法表示强调。第三句"将"是平声字,长吟表明要去追赶单于,已经整装待发了。最后一句许多人认为既然"大雪满弓刀",所以无法去追逐单于了。实际上不是这样,"大雪满弓刀"只是写出自然条件的恶劣,在这样的情况下出征自然更是情绪高涨,斗志昂扬。所以吟诵最后一句,应该是全诗的高潮,不能表现出为难的情绪。

35 望洞庭[1]

（唐）刘禹锡

湖光秋月两相和,[2]
潭面无风镜未磨。[3]
遥望洞庭山水翠,[4]
白银盘里一青螺。[5]

望洞庭

(唐)刘禹锡

湖光/秋月 两相和,
潭面无风/镜未磨。
遥望洞庭/山水翠,
白银/盘里 青螺。

作者介绍

刘禹锡(772—842),唐代文学家、哲学家。字梦得,洛阳(今属河南)人,其父在安史之乱时避居嘉兴(今属浙江)一带。贞元九年(793)登进士第,又登博学宏词科,由此进入仕途。先后任过太子校书、节度掌书记、监察御史等职,在唐顺宗即位后,积极参与王叔文主持的朝政改革活动。当年顺宗被迫让位于宪宗,革新失败,发动者和参与者均遭贬斥,数年间多任职荒远之地,晚年官至太子宾客,世称"刘宾客"。与韩愈、白居易、柳宗元等均有深厚的交往;与白居易齐名,并称"刘白"。

注释

[1] 洞庭：湖名,在今湖南北部。

[2] 两相和：指湖光月色柔美和谐,融为一体。

[3] 潭：深的水池叫潭,这里指洞庭湖。这句是说湖面就像没有磨过的铜镜。

[4] 山水翠：指洞庭湖以及周围的山颜色苍翠。

[5] 白银盘：比喻湖面泛着月光的洞庭湖。青螺：指青螺髻,古代妇女的一种发型,这里用来形容洞庭湖中的君山。

导读

这首诗写了淡雅静丽的洞庭秋夜美景。第一句写秋夜皎洁的月光与澄澈空明的洞庭湖水,交相辉映,水天一色,融为一体。第二句着重写湖面,把湖面比喻成一面没有打磨的镜子,不仅写出了湖面的平静,更写出了夜色的朦胧。后两句作者运用点面结合的手法,把洞庭湖水和君山比喻成了"白银盘"和"青螺",比喻新奇形象,色彩淡雅。尤其可贵的是它所表现的壮阔不凡的气度、高卓清奇的情致。在诗人眼里,千里洞庭不过是妆楼奁镜、案上杯盘而已,举重若轻,毫无矜气作色之态,体现了诗人荡思八极的气魄和振衣千仞的襟抱。整首诗选择月夜遥望的角度,抓住最具有代表性的君山和洞庭湖水,通过奇特的比喻,把洞庭美景再现于我们眼前,同时也让我们感受到了作者阔大的胸襟气魄。

吟诵提示

这是一首平起的七言绝句,按照吟诵格律诗的要求,吟诵的停顿处是第一句的第二个字、第二句的第四个字、第三句的第四个字、第四句的第二个字以及韵字,简单地说就是"二四四二"及韵字。

  这是一首写景诗,开朗、轻松、自然是本诗的情感基调。吟诵时不宜故作激昂或低沉状,越自然越好。第一句以中平音高起调,除节奏点"光"字和韵字"和"外,"相"字也应该长吟,表示在诗人眼里"湖光"和"秋月"是同等的重要,诗人是同等的喜爱。第二句除注意长吟节奏点"风"字和韵字"磨"外,"镜"字也应该重视,但"磨"是韵字,长吟表示强调。第三句的"庭"字在节奏点上,自然应该长吟。"山"是平声字,又是在第五个字的位置上,可以长吟;"翠"是仄声字,不宜长吟,但在这里,可以适当长吟,因为"翠"字在句尾,为了强调一句的结束,哪怕是入声字结尾,也必须适当长吟,而且这个"翠"字表现出诗人对洞庭山水由衷的喜爱,所以一定要长吟以示重视。最后一句除"银"字和"螺"字长吟外,"青"字也可以适当长吟,通过长吟"银"字和"青"字,将诗人的喜悦之情和盘托出。总之,吟诵这首诗没有什么难度,重要的是要以自然、平和的心态去表现对自然的喜爱之情。

36 浪淘沙[1]

(唐)刘禹锡

九曲黄河万里沙,[2]
浪淘风簸自天涯。[3]
如今直上银河去,
同到牵牛织女家。[4]

浪淘沙

(唐)刘禹锡

九曲黄河／万里沙，
浪淘／风簸自天涯。
如今／直上银河去，
同到牵牛／织女家。

注释

[1]浪淘沙：唐教坊曲名，后用为词牌名。

[2]九曲：自古相传黄河有九道弯。万里沙：黄河流经各地时夹带大量泥沙。

[3]浪淘风簸：黄河卷着泥沙，风浪滚动的样子。浪淘，波浪淘洗。簸，掀翻，上下簸动。自天涯：来自天边，古人认为黄河的源头和天上的银河相通。

[4]牵牛织女：银河系的两个星座名。自古相传，织女为天上仙女，下凡到人间，和牛郎结为夫妇。后西王母召回织女，牛郎追上天，西王母罚他们隔河相望，只准每年七月七日的夜晚相会一次。牵牛，即传说中的牛郎。

导读

"浪淘沙"原为唐代教坊曲名,白居易、刘禹锡首创。刘禹锡《浪淘沙》共九首,都是他任夔州刺史时所作。此诗为其一。本诗描写了黄河雄伟的气势,表达了对理想生活的向往。诗篇前两句写景,极写黄河的雄伟壮观。"九曲"写出黄河的婉转逶迤,更写出黄河弯弯曲曲、奔流到海不复回的气势。"浪淘风簸自天涯",将黄河浪高风急、奔涌不息的特点全都表现出来了。后两句抒情,抒发对理想生活的向往。古人认为黄河和天河是相通的,所以诗人借此写出了逆流而上不仅可以直上银河,而且还可以走访牛郎织女这样美好、浪漫的事。这两句既表现了黄河的磅礴气势,也表现了诗人不怕疾风、巨浪、狂沙,一往无前的气概。

吟诵提示

这首《浪淘沙》不是词牌的"浪淘沙",是一首仄起的七言绝句,按照吟诵格律诗的规则,吟诵的停顿处是第一句的第四个字、第二句的第二个字、第三句的第二个字、第四句的第四个字以及韵字,简单地说就是"四二二四"及韵字。

这首诗的总体格调轻快乐观、豪迈奔放,前两句抒发对黄河的赞美、颂扬之情,吟诵时,语调应该豪迈、兴奋,起调应该略高一些。尤其是"天涯"二字,要把音域尽量放宽,仿佛看到黄河与天河连在一起。后两句欢快、浪漫。想象着逆流而上,能见到牛郎织女,心情自然十分愉悦。"银"是平声字,又是在第五个字的位置上,应该适当长吟,把黄河、银河交汇在一起的情景表现出来。尾句吟诵不宜过高,轻松、自然最好。三个入声字"曲""直""织",虽然不在节奏点上,按照汉字的发音特点,吟诵这三个字时声音短促,开口即收。吟诵要跟随诗人的感情起伏,依意行调。

37 赋得古原草送别 [1]

（唐）白居易

离离原上草，[2]
一岁一枯荣。[3]
野火烧不尽，
春风吹又生。
远芳侵古道，[4]
晴翠接荒城。[5]
又送王孙去，[6]
萋萋满别情。[7]

赋得古原草送别

（唐）白居易

离离/原上草，
一岁一枯/荣。
野火烧/不尽，
春风/吹又生。
远芳/侵古道，
晴翠接荒/城。
又送王孙/去，
萋萋/满别情。

作者介绍

白居易(772—846)，唐代诗人。字乐天，晚年号香山居士、醉吟先生。

自幼聪慧,五六岁学作诗,贞元十六年(800)登进士第,做过校书郎、县尉、翰林学士等,曾因上书言事,被贬为江州司马,后任杭州、苏州刺史,晚年任太子宾客、太子少傅,病逝后谥为"文",世称"白傅"或"白文公",早年与诗人元稹并称"元白",晚年与刘禹锡并称"刘白"。所作诗平易近人,多为讽世刺时之作,也有一些写景、咏物以及表现自己闲适生活的诗篇。

注释

[1]赋得:赋诗得到某个题目的意思,因此,凡是被指定题材的诗作多在题目前面写上"赋得"二字。这首诗题目的意思是:在古老的原野上送别友人。这首诗前六句写古原草,后两句写送别。

[2]离离:形容草长得茂盛。

[3]岁:年,一岁即一年。

[4]远芳:远处的芳草。侵:指草覆盖的范围逐渐扩大。

[5]晴翠:阳光照耀下鲜明的绿色。荒城:废置荒芜的城。

[6]王孙:公子、贵族的统称,这里是作者对朋友的美称。

[7]萋萋:形容草茂盛的样子。

导读

这首诗由春草而写到送别之情,但它最为人称道的是赞颂平凡的事物所具有的顽强生命力。唐代张固《幽闲鼓吹》中记载,作者始自江南入京,拜访名士顾况时投献诗文。起初,顾况看着这年轻士子说:"米价方贵,居亦弗易。"拿白居易的名字打趣,说京城不好混饭吃。及读至"野火烧不尽"二句,不禁大为嗟赏,说:"道得个语,居亦易矣。"并四处赞扬白居易的才华。可见此诗在当时就为人所称道。前两句以"离离"来写古原之上芳草萋萋的景象,然而这如此繁茂的野草却是一年生植物,秋天便要枯萎,但是作者并没有继续写草的枯萎凋零,而是翻出新意写道"一岁一枯荣"。"枯"本有萧瑟之感,但每一次的"枯"都与"荣"相伴,岁岁循环,生生不息。两个重叠的"一"字更写出了古原草的顽强生命力。第三、第四句由"枯荣"二字的概念一变为形象的画面,即便是无边无际蔓延的野火,也毁灭不尽顽强的生机,春风吹来时古原又是绿草茵茵。语言朴实,却韵味十足。"远芳"和"晴翠"写出了阳光照耀下青草的香气和明丽的颜色,古道、荒城都被淹没在它无边无际的长势之中,使得古原生机勃勃。最后两句作者安排了一个令人惆怅而富有诗意的送别场景,似乎每一片草叶都饱含深情,读来令人回味无穷。

吟诵提示

　　这是一首五言平起律诗的"变格"体。"变格"是说本诗与规范的格律诗不同,第三句的第四个字应该是平声字的却用了仄声字"不",所以这一句吟诵的停顿处就只能放在"烧"字上,而且把下一句应该是仄声字的第三个字改用平声字来补救。这样按照吟诵五言平起律诗的要求,各句吟诵的停顿处是第一句的第二个字、第二句的第四个字、第三句的第三个字、第四句的第二个字、第五句的第二个字、第六句的第四个字、第七句的第四个字、第八句的第二个字以及韵字,简单地说就是"二四三二二四四二"及韵字。

　　这是诗人十六岁准备参加科举考试时的习作,但是诗篇的情感、气韵、意境,完全不像十六岁人的诗作。本诗的情感基调是真挚、充沛、坚定、沉着,又有劝诫说理的味道。第一句的"原"字说明诗人所处的位置,十分重要,又是在五言诗第三个字的位置上,可以长吟。第三句"野火烧不尽"处理起来比较麻烦,因为"不"是入声字,不能长吟,节奏点只能放在"烧"字上,而且这一句只有"烧"是平声字,所以吟诵起来比较困难,不像规范的律句那么好听。为了补救,第四句"春风吹又生"中的第三个字应该是仄声字,不得不用为平声字,"春风吹"三个平声字不得不连用,吟诵时重点吟诵"风"字,适当照顾一下"春"字和"吹"字即可。第五句的

"侵"字可以长吟,第六句的"接"字则不必长吟,这是因为格律诗第三个字和第五个字如果是平声字,而且在节奏点后面,一般都可以长吟;如果不在节奏点后面,或者不是平声字,则不一定长吟。最后两句在吟诵技巧上没有什么特别之处,这两句感情色彩十分丰富,尤其是吟诵"萋萋满别情"时语速要慢,感情要真挚,要将诗人那种依依不舍的情感充分表现出来才算是达到理想的吟诵目的。

38 池上

（唐）白居易

小娃撑小艇，[1]
偷采白莲回。
不解藏踪迹，[2]
浮萍一道开。[3]

池 上

（唐）白居易

小娃/撑小艇，
● ○ ○ ● ●

偷采白莲/回。
○ ● ● ○ △

不解藏踪/迹，
● ● ○ ○ ●

浮萍/一道开。
○ ○ ● ● △

注释

[1]撑小艇：用竹篙抵住水底使船行进。艇，船。

[2]解：明白，知道。

[3]浮萍：一种水生植物，叶子浮在水面，夏季开白花。

导读

《池上》写小孩子偷偷撑船去采莲的过程。前两句写小孩子瞒着大人撑船去采集白莲，"撑"字用得十分巧妙，说明小孩虽然还小，但是划船的技术已经非常娴熟，已经能独自撑船出行了。"偷"字用得极为传神，表现了小孩的顽皮、任性。应该特别点明的是，这个"偷"不是偷白莲，而是偷偷划船下水。后两句说小孩还是太小,不懂得隐藏踪迹,船划过去了,荡开的浮萍在水面上留下一道痕迹,从而泄露了天机,也看出小孩的单纯。

吟诵提示

这是一首平起的五言绝句,按照吟诵格律诗的要求,吟诵的停顿处是第一句的第二个字、第二句的第四个字、第三句的第四个字、第四句的第二个字以及韵字,简单地说就是"二四四二"及韵字。

这是一首描写儿童的诗作,情感基调是亲切、轻松、欢快,充满了生活气息,所以吟诵时忌严肃、庄重。前两句是叙述小娃偷偷撑船去采白莲的过程,语气应该稍微平淡一些,不能把这件事看得多么严重。江南的小孩,自幼就在水上生活,撑船是家常便饭。大人出于安全考虑,每每不让孩子独自撑船出去,但小孩自有主见,还是经常独自撑船出去。"撑"虽然不在节奏点上,但它是平声字,此处可以适当长吟,把撑船的过程表现出来。"偷采"二字可轻轻滑过,表明大人对这件事不是很重视。"回"字在这里可读为huái,与"开"同韵。后两句说小孩不懂隐藏踪迹,让大人发现小孩又私自撑船出去的证据。吟诵这两句,要有大人得意扬扬的语气,有点嘲笑小孩的意思:那一道分开的浮萍就是你偷偷撑船出去的证据。所以吟诵时应该更为轻松、愉悦,甚至有点调侃的味道。"藏"字虽然不在节奏点上,但应该适当长吟,表示强调。"萍"字在节奏点上,本来就应该长吟,是浮萍的"一道开"泄露了天机,所以"开"字也应该长吟,况且"开"是韵字,在长吟中,把长者扬扬自得的感受表现出来。

总之,吟诵这首诗一定要轻松、愉悦,犹如大人在亲切地和孩子说话,你说你没有私自撑船出去,那浮萍被荡开的一道水印是怎么回事?

39 忆江南[1]

(唐)白居易

江南好,[2]

风景旧曾谙。[3]

日出江花红胜火,

春来江水绿如蓝。[4]

能不忆江南?

忆江南

(唐) 白居易

江南／好，
○ ○ ●

风景旧曾／谙。
○ ● ● ○ △

日出江花／红胜火，
● ● ○ ○ ○ ● ●

春来／江水绿如蓝。
○ ○ ○ ● ○ △

能不忆江／南？
○ ● ● ○ △

注释

[1] 忆江南：词牌名，又叫"望江南"。
[2] 江南：本词中具体指杭州、苏州一带。
[3] 旧：过去，从前。谙：熟悉。
[4] 蓝：植物名，叶子可以制作染料。

导读

这首词是诗人因病卸任苏州刺史，回到洛阳十二年后写下的回忆江南春景的名篇。另有两首同题词,分别描写苏州和杭州的美景。诗人开篇用一个"好"字写出了对心中江南最为直观的评价,紧接着用"旧"来表达出回忆之情,让人们不禁对下面即将出现的春景满怀期待。"日出江花红胜火"一句刻画出了在初升的太阳照射下江边的春花争相开放的景象,使人感受到江南春天的勃勃生机,浓艳而又热烈。"春来江水绿如蓝"用浓墨重彩的手法写出了春水的颜色,与上句"红胜火"一起构成了一幅鲜艳夺目的"江南春景图"。这一切都是虚写,都是留存在诗人记忆中的江南,愈行愈远而又愈浓烈的思念,让这一幅画艳丽无比、栩栩如生,而这一首词也让诗人的记忆随时光永存。

吟诵提示

　　这是一首词,单调小令二十七字,押平声韵。词的吟诵与格律诗的吟诵不同,格律诗的吟诵有明确的规则,吟诵时一般不会出错。词又名长短句,每首词的词牌不同,句子长短参差不齐,吟诵的方式也不同,没有现成的规律可循。本词五句,除第一句外,其他都是律句,因此,第二、第五句可以按照吟诵五言格律诗的方法吟诵,第三、第四句可以按照吟诵七言格律诗的方法吟诵。这样就减少了吟诵的难度。

　　第一句落笔用白话称赞江南美景,"南"字长吟,尽量展开音域,为后面的景色花红水绿作铺垫;"好"字要重读,虽是仄声字,也要适当长吟,突出赞美之意。第二句的"曾"字略长吟,"谙"字长吟,而且要轻轻地吟,把对江南的思念、回忆吟出来。第三句"花"是节奏点上的平声字,要长吟;"红"虽然不是节奏点,但是平声字,可以适当长吟,表现春光明媚、生机盎然的气势。第四句的"来"字要长吟,要吟得轻松、飘逸一些,因为作者是在回忆江南美景,期盼将来故地重游;"蓝"字要长吟,吟得悠然自得一些,仿佛江南美景就在眼前。最后一句"江南"是两个平声字,"江"字略长吟,"南"字长吟;江南太美了,令人向往,诗人魂牵梦萦,但不知何时才能再续前缘,吟诵末句可略带一丝惆怅。

40 小儿垂钓

（唐）胡令能

蓬头稚子学垂纶，[1]
侧坐莓苔草映身。[2]
路人借问遥招手，[3]
怕得鱼惊不应人。[4]

小儿垂钓

（唐）胡令能

蓬头/稚子学垂纶，
○ ○ ● ● ○ △

侧坐莓苔/草映身。
● ● ● ● ● ● △

路人/借问遥招手，
● ● ● ● ○ ○ ●

怕得鱼惊/不应人。
● ● ○ ○ ● ● △

作者介绍

胡令能，唐代诗人，早年以钉锅补盆为业，人称"胡钉铰"，隐居于列子故里。家中贫穷，遇有茶果就祭列子，以祈求聪明，对佛教禅学尤精。他的诗流传到今天的仅有四首，生活气息浓郁，充满情趣。

注释

[1] 蓬头稚子：尚未束发成童的小孩子。头发未束，自然蓬乱。古时小孩子十五岁束发成童。垂纶：垂线，代指钓鱼。

[2] 莓苔：长在石上的青苔。映：掩映。

[3] 借问：向人询问。

[4]应:应答。

导读

这是一首描写童稚的充满生活情趣的诗。第一句,作者充满昵爱且略带揶揄口气地介绍了一个毛头小孩子在稚嫩地学着大人的样子钓鱼。"学"字即表明了他的幼稚。第二句进一步交代了小孩子是如何学大人钓鱼的:他没有站着,而是侧着身子斜坐在长满青苔的石头上,神态安闲自然,还用水边的青草掩映自己的身体。这些都使小孩子担心惊扰了鱼儿上钩的用心情态毕现。前两句静态的描写,对小孩子用意的揭示较为含蓄,尚不够显明。后两句通过路人的"借问",小孩子怕惊扰了鱼儿而不作答,只远远地招手示意,则把这个看起来稚嫩,钓鱼却非常老到的小家伙的用意显豁地展现出来。另外,后两句也把这个小孩子的可爱稚嫩表现了出来:在他眼里,钓鱼比回答路人的询问更重要!在这里,小孩子天性的稚嫩与技术的老到形成了一个充满矛盾与机趣的组合,惹人爱怜,令人忍俊不禁。善于观察生活的作者将这个一千多年前的充满生机活趣的情景变成了一幅永恒的图画。

吟诵提示

这是一首七言绝句的变格,与王维的《渭城曲》有些相似,就是说第三句与第二句失黏,但还可以算为平起绝句,当然也有人称之为七绝乐府。吟诵正体七言平起绝句时,其各句吟诵停顿处是"二四四二"及韵字,本诗是变体,各句吟诵的停顿处是第一句的第二个字、第二句的第四个字、第三句的第二个字、第四句的第四个字以及韵字,即"二四二四"及韵字。

本诗是儿童题材的诗作,感情基调是天真自然、轻松愉悦,吟诵时语气随着感情的起伏而起伏,不必刻意去雕琢。第一句的节奏点在"头"字上,可以长吟,让幼童的形象一下子展现在读者面前。"垂"是动词,又是平声字,可以适当长吟,把幼童甩鱼线的动作表现出来。第二句吟诵时要尽量平淡,把幼童很随意地侧坐在青苔上,煞有介事地用杂草挡住自己身体的神态表现出来。第三句吟诵时语气要轻,语速要快,尤其是"遥招"二字,更是如此,这样才能将幼童见有人问路,连忙摆手,仿佛路人一说话鱼儿真的不会上钩的神态表现出来。尾句是诗人解释幼童见路人问路时急忙招手不语的原因,吟诵时语气可以适当放慢,声音也可以适当加重,带有成人说话的语调。

总之,吟诵这首诗还是有一定难度的,关键是把握住幼童的心态。

41 悯农(一)[1]

(唐)李绅

锄禾日当午,[2]
汗滴禾下土。
谁知盘中餐,[3]
粒粒皆辛苦。

悯农(一)

(唐)李绅

锄禾/日当午,
汗滴禾/下土。
谁知盘中/餐,
粒粒皆辛/苦。

作者介绍

李绅(772—846),唐代诗人。字公垂,无锡(今属江苏)人。排行二十,人称"李二十";身材矮小精悍,又有"短李"之名。六岁成孤,依靠母亲教诲成人。与李德裕、元稹号为"三俊"。他的诗属于元稹、白居易领导的新乐府运动的流派。新乐府诗舍弃了乐府旧题,因事立题,关心现实,语言浅白通俗。

注释

[1]悯农:同情、哀怜农民。
[2]锄禾:一种农业生产活动,用锄给庄稼松土,并且锄去杂草,以助庄

稼生长。禾,庄稼苗子。

[3]谁知:有谁知道。

导读

  这是一首脍炙人口、妇孺皆知的诗。这首诗没有什么高妙的艺术美,相反,它非常朴实、浅显,直述诗题。如果说它采用了什么艺术技巧的话,那就是诗歌用了回溯返本的手法,仿佛将人们一下子拉到骄阳似火的田间,目睹烈日当空的正午,汗流浃背的农民锄草松土、艰辛劳作。最后一句掷地有声地告诉人们,"粒粒皆辛苦",使人猛然醒悟,粮食得之不易,从而收到振聋发聩的教育效果。这首诗表达了对农民的同情,它的意义在于它的教育作用,即对劳动者的尊重。

吟诵提示

  这是一首五言古体诗,不能按照格律诗的要求去吟诵。"悯农",顾名思义,是表达对农民的关心、同情和敬重,因此,其情感基调是深沉忧郁,充满了关切的情怀。

  这首诗押仄声韵。第一句吟诵停顿处在"禾"字及韵字"午"上。"当"在本句中非常重要,它点明了劳动的时间,再加上它是平声字,可以长吟,但"当"字后面就是韵字,只能适当长吟。第二句的节奏点依然在"禾"字上,此句五个字只有"禾"一个平声字,只能长吟"禾"字了。"下"虽然是仄声字,但在这里很重要,表明劳动的辛苦,所以可以适当长吟,表示重视。第三句有两点要特别注意:一是此句的节奏点在"中"字上;二是此句最后三个字"盘中餐"都是平声字,在古诗中称为"三平落脚"。吟诵古诗时,只要有"三平落脚",节奏点一般都放在第四个字上,所以我们把第三句的节奏点放在第四个字"中"字上了。当然"知"字也非常重要,其警世作用就在于此,所以也要适当长吟。最后一句吟诵的停顿处在平声字"辛"和韵字上,

"粒"虽然是入声字,但两个"粒"字连用,就组成了一个连绵词,一般来说,连绵词的第二个字都可以适当长吟,当然不能吟得太长。总之,这首诗的吟诵还是有一定难度的,在掌握了本诗吟诵节奏点的基础上,才能考虑如何把诗人的情感表现出来。

42 悯农(二)

(唐)李绅

春种一粒粟,[1]
秋收万颗子。
四海无闲田,[2]
农夫犹饿死。[3]

悯农（二）

(唐) 李绅

春种一粒粟，
秋收／万颗子。
四海无闲／田，
农夫／犹饿死。

注释

[1] 粟：谷子，去皮后为小米。此处泛指谷物。
[2] 四海：泛指天下各地。
[3] 犹：还。

导读

　　这是一首表达社会对农民不公的诗，充满了对农民不幸命运的同情，严厉揭露了社会的不公。前两句"春种一粒粟，秋收万颗子"，对仗工整，句式整饬，很有哲理意味，表达了辛劳即有丰厚回报的哲理。但是尽管农业生产回报丰厚，且天下土地尽被开垦为良田，社会本不应该再缺少粮食，人们本不应该再有冻馁之患,可是可怜而辛勤的农民还是在饥饿中惨死。小诗前两句以巨大的气势领起,第三句继续蓄势,说明天下农民的辛勤劳动本应该有好的回报,最后一句句意陡然一转,转向了该得回报的农民没有得到好的回报,却落了个饥饿惨死的结局,将诗歌所表达的愤激之情推向了高潮。结尾收束沉着有力,收到了很好的艺术效果。本诗没有明确揭示出社会不公的原因,但却客观地再现了不公的现实,引人思考,发人深省。

吟诵提示

  本诗押仄声韵。第一句除"春"字外,其余四个字都是仄声字,而且"一粒粟"三个字都是入声字,所以吟诵起来比较困难。遵循诗歌吟诵时每一句都应该有一处长吟的原则,吟诵时可以在"春"字处适当长吟,"粟"虽然是入声字,但它在句尾,也可以适当长吟。第二句的节奏点可以放在"收"字上,长吟"收"字还可以把农民喜获丰收的情景表现出来,有对农民歌颂赞扬之意,所以语调可以适当提升。第三句的节奏点在"闲"字上,"田"虽然不是韵字,但它在句尾,又是平声字,可以适当长吟。此句虽然用了夸张的修辞方法,但也是对农民勤劳的歌颂。吟诵时要把对农民的肯定、赞美表现出来,语调可以适当提升,感情要真挚。最后一句的节奏点在"夫"字上,句眼是"犹"字,一个"犹"字表现了社会的残酷和不公平,长吟"犹"字,将诗人对农民的同情、对社会的不满都表现出来了。但是"夫""犹"两个平声字同时长吟,会令人感到节奏有些缓慢,可以将"夫"字长吟一拍,将"犹"字长吟半拍,这样各方面都可以兼顾。总之,这首诗的吟诵的确有一定的难度,一方面要考虑到平仄的要求,另一方面还要考虑诗篇内容的要求,所以吟诵时要特别注意。

43 江雪

（唐）柳宗元

千山鸟飞绝，[1]
万径人踪灭。[2]
孤舟蓑笠翁，[3]
独钓寒江雪。

江　雪

（唐）柳宗元

千山／鸟飞绝，
○　○　●　○　▲
万径人踪／灭。
●　●　○　▲
孤舟／蓑笠翁，
○　○　○　●　○
独钓寒江／雪。
●　●　○　○　▲

作者介绍

柳宗元(773—819)，唐代著名文学家、政治家、古文运动的倡导者，"唐宋八大家"之一。字子厚，河东解(今山西运城市西南)人，世称"柳河东"。曾参加永贞革新，失败后被贬为永州司马，后迁作柳州刺史，四十七岁死于柳州任上。柳宗元的诗幽冷峻峭、恬静淡泊，语言朴实自然，情思幽远，诗中常常有一种空旷孤寂的意境。

注释

[1]绝：绝迹。
[2]径：小路。踪：足迹，脚印。

[3]蓑:用蓑草编织的雨衣。笠:用竹篾与竹叶编织的防雨遮阳的宽檐儿的帽子。

导读

这是一首充满兴寄的诗。"兴"者,感兴,触雪景以兴情;"寄"者,有所托,托雪景以明志。柳宗元的许多诗中都有一种空旷孤寂的意境,都是他心境的委婉折射,这首诗则是这一意境的典型体现。全诗句句皆在写景,其意则含蕴其间。小诗以结尾二字"江雪"为题,头两句不言雪而雪自现,展现一个白茫茫、静悄悄、冰冷冷的净洁空阔的世界:一场大雪,使得千山飞鸟绝迹,使得大地万千路径不见了人的足迹,天地间一片空旷孤寂。前两句写景,是为了烘托背景、渲染气氛,为人物的出现作铺垫,以此衬托,更加突出了后两句寒江独钓的老翁的孤独,白茫茫的天地间只有孤零零的一叶孤舟上持竿独钓。这一渔翁,不一定是作者本人,但却是作者的寄托,体现了一种孤高与坚持的精神。柳宗元因改革失败,一生遭贬,其诗多成于被贬后,其雄心壮志不为人理解的孤独感,以及在污浊与险恶的政治斗争中生出的孤高意识,都会使他产生超越社会人间的出离意识。他对佛教的笃信,则成为这一观念的向导。正是佛教超越人世间以空性观察世界的襟怀,使柳宗元的诗获得了别样的境界:靖深含蓄,情思幽远。

吟诵提示

这是一首五言古绝,不能完全按照格律诗的规律去吟诵。第一,本诗押的是入声韵,入声字是不能长吟的,为了弥补这个缺憾,在各句韵字的前面都用了一个平声字,通过平声字的长吟,突出入声韵字的发声特点。第二,吟诵此诗时,各句的节奏点分别在第一句的第二个字、第二句的第四个字、第三句的第二个字、第四句的第四个字以及韵字上,简单地说就是"二四二四"及韵字。第三,此诗是写于空旷寂寥的江边,没有飞鸟,没有行人,只有垂钓的老人，所以吟诵此诗只需低吟即可，没有感情的大起大落。

  第一句的节奏点在"山"字上，长吟"山"字，把群山万壑都吟出来了。"飞"字不在节奏点上，而且是说"鸟飞绝"，所以适当长吟，衬托出韵字的语音特点即可。第二句可以按照格律诗的一般规律去吟诵，"踪"字在节奏点上，长吟可以把各条小路都被大雪覆盖住的意象表现出来，还可以为吟诵韵字作铺垫。第三句的"舟"字在节奏点上，长吟可以强调一个人、一只小船的意象；"翁"虽然不是韵字，但在句尾，又是平声字，可以适当长吟，与"舟"字相呼应。尾句的"钓"是仄声字，在不能长吟的情况下，可以重读"钓"字，强调了"钓"字，才能把诗人不畏强权、孤高凛然的气势和悠然于风雪之间的淡定表现出来。吟诵着重吟出本诗的"寒意"。

44 寻隐者不遇[1]

（唐）贾岛

松下问童子，[2]
言师采药去。
只在此山中，
云深不知处。[3]

寻隐者不遇

(唐)贾岛

松下问童/子,
○ ● ● ○ ●
言师/采药去。
○ ○ ● ● ▲
只在此山/中,
● ● ● ○ ○
云深/不知处。
○ ○ ● ○ ▲

作者介绍

贾岛(779—843),唐代诗人。字浪仙,范阳(治今河北涿州)人。早年为僧,法名无本,后还俗,应进士试,屡不中。任过长江主簿、普州司仓参军等低级官职。他是苦吟诗人,吟诗非常用功,曾因骑驴苦吟琢磨一句"鸟宿池边树,僧敲月下门"中的"敲"字是否换成"推"字更好,而不小心闯了韩愈的仪仗队,遂留下"推敲"这个典故。他的诗多五律,均衡、平稳、精致,题材多出自日常生活的细节,缺乏奇异之思,语言较为平淡。

注释

[1]隐者:指古时候修仙道之事,不愿参与社会事务的山中高士;或指

古代政治失意而逃避官场、遁入乡野的士子。遇:碰到,遇到。

[2]童子:服侍隐者的侍者,或隐者的弟子,一般多为小孩子。

[3]处:在哪里。

导读

这首诗通过寻隐者不见这件不起眼的小事侧面烘托了一位逍遥化外、超逸绝尘的山中高士的形象。第一句"松下问童子",既是叙事,交代事件的起因,为寻隐士来到了深山老林之中,又用心精审地选择了"松下"与"童子"二词,表明寻访的主人是真正的山中隐士。隐者自然有隐者的生活,第二句经童子之口,交代了隐者生活的简单及生活目的的单纯。"采药"一词,抓住了隐者最典型的生活细节,活画了隐者的形象。如此写来还有些不够,还没能突出隐者的风神。最后两句则通过童子的回答,对隐者形象的刻画更加圆满。隐者的风神在于他们已经摆脱了各种繁文缛节和世俗生活的羁绊,无拘无束,行为无所牵累,自由自在地生活于人世之外的山林云烟之间,超逸而神化。"只在此山中,云深不知处","山中""云深"正是对隐者自由超逸精神的完美烘托。本诗明白如话,语言浅切,但选词至为精当,叙事由实入虚,一转一折,境界一变,至为巧妙,体现了贾岛于"最为琐细处用诗材,苦吟处造诗境"(骆玉明语)的吟诗特征。有人称贾岛诗"奇淡",此诗堪当。

吟诵提示

这是一首五言古体诗。五言古体诗的吟诵没有固定的模式,只能根据诗篇的具体情况而定。本诗吟诵时各句的停顿处为"四二四二"及韵字。

第一句起调不宜太高,中等即可。因为诗人在山中询问童子,山里一般都很安静,没有必要大声喊叫,轻声地询问童子,也符合诗人的身份。童子的回答应该是脆生生的、稚气十足的,所以也不需要大声喊叫。第二句的

"师"字在节奏点上,必须长吟,要把童子对老师的尊敬表现出来。"去"虽然是仄声字,但在句尾,又是韵字,必须长吟。第三句的"山"字在节奏点上,长吟可以把山高林密的感觉表现出来。最后一句的"深"字和"知"字都是平声字,都可以长吟,但是格律诗每句只能有一处长吟,节奏点只能有一个,这一节奏点应该是"深"字。长吟"深"字,可以再现深山老林云雾缭绕的情景,可以把隐士隐居之处的清静深幽再现出来,令人产生无限的遐想。"知"字虽然不在节奏点上,此处也应该适当长吟,把童子的无奈表现出来。

45 山行[1]

(唐) 杜牧

远上寒山石径斜,[2]
白云生处有人家。[3]
停车坐爱枫林晚,[4]
霜叶红于二月花。[5]

山 行

(唐) 杜牧

远上寒山／石径斜，
● ● ○ ○ ● ● △

白云／生处有人家。
● ○ ○ ● ● ○ △

停车／坐爱枫林晚，
○ ○ ● ● ○ ● ●

霜叶红于／二月花。
○ ● ○ ○ ● ● △

作者介绍

杜牧(803—853)，唐代诗人、散文家。字牧之，京兆万年(今陕西西安)人。太和二年(828)登进士第，以《阿房宫赋》为世人赏识。出身于文化氛围深厚的仕宦之家，曾长期任朝廷和地方官员，于政治、军事多有建树。性情刚直，不拘小节，处世疏旷，其诗爽朗，诗情豪迈。与同时期的李商隐并称"小李杜"。

注释

[1] 山行：行于山中。

[2] 远上：远远地登上。寒山：深秋之山。石径：石头小路。斜：此处应

读xiá。

[3]生处:一作"深处"。"生处"可解为白云的升腾飘浮状,有动感;"深处"可解作白云缥缈缠绕、深远绵厚状,有静感。各有妙处,这里作前解。

[4]坐:因为。枫林晚:傍晚的枫林。

[5]霜叶:经霜后红得似火的枫叶。

导读

这首诗一反把秋天写得萧瑟凄凉、伤时叹世的常态,而把秋天写得无比火红热烈,如春花般灿烂,充满生气。本诗从沿着绵长幽远的石径渐行登山写起,开始是白石寒山,充满寒意,了无生机。渐行渐深,却见层层白云缥缈缠绕的深处,有几户人家居住,现出了深山寒秋中暖人的生意。然而,这秋色还不算动人。只有那晚霞映照下的枫林,突然出现在眼前,才让人驻车流连,不忍离去。于此,小诗还没有彻底揭示深秋傍晚山中枫林的美之所在,最后一句"霜叶红于二月花"的充分描述,使秋色尽显:金色的晚霞,漫山遍野摇曳的火红的枫叶,互相辉映,如火如荼,如织如锦,比二月盛开的春花更加热烈,更加鲜艳!直让人如痴如醉。本诗层层渲染,节节推进,至此戛然而止,结尾收束有力,余韵不绝。这种"我言秋日胜春朝"的豪情,不正是诗人坦荡的心胸、积极的心态、勃发的意志的具体体现吗?

吟诵提示

这是一首仄起的七言绝句,按照吟诵格律诗的要求,各句吟诵的停顿处是第一句的第四个字、第二句的第二个字、第三句的第二个字、第四句的第四个字以及韵字,简单地说就是"四二二四"及韵字。

这是诗人创作的一首非常优美的写景诗,一反文人悲秋的情怀,竭力讴歌了秋天的美景,格调俊雅疏朗,语言豪爽清丽,因此本诗的情感基调是喜悦欢畅、豪爽开朗。吟诵时第一句的"石"是入声字,不宜长吟,应该与后面的"径"字一带而过。"斜"是平声麻韵,属于韵字,可以长吟。第二句的"生"是平声字,适当长吟,表示"人家"是在深山里面极远极远的白云形成的地方。第三句的"枫"在第五个字的位置上,又是平声字,可以长吟,表示自己在枫树林中已休息了很长时间。最后一句表达诗人对秋景的赞美,音调可以适当提高一些,"红""花"二字都是平声字,应该吟得实大声宏才能把诗人的情感表现出来。总之,这首诗吟诵的难度不是很大,关键是把握住诗人的情感,把诗人对秋天的美景和大自然的喜爱之情表现出来,才算达到吟诵的目的。

46 清明[1]

（唐）杜牧

清明时节雨纷纷，[2]
路上行人欲断魂。[3]
借问酒家何处有，[4]
牧童遥指杏花村。[5]

清　明

(唐) 杜牧

清明／时节雨纷纷，
○　○　○　●　●　○　△

路上行人／欲断魂。
●　●　○　○　●　●　△

借问酒家／何处有，
●　●　●　○　○　●　●

牧童／遥指杏花村。
●　○　○　●　●　○　△

注释

[1] 清明：清明节，二十四节气之一，春分后十五天，此时节每降春雨，万物洁齐，气清景明，谓清明。气温升高，正好春耕。作为中国重要的传统节日，一般在阳历4月5日或4日，人们要进行踏青、放风筝、斗鸡、遛狗、荡秋千等娱乐活动。秦代以后亦成为扫墓祭祖的节日，人们要进行添坟、插柳、拔草、摆供等祭祀活动。节日里人们缅怀先人，充满愁绪。

[2] 纷纷：多而杂乱的样子。

[3] 断魂：形容人因烦愁而丧魂失魄的样子。

[4] 借问：请问。酒家：酒店或小酒馆。

[5] 牧童：放牧牛羊的孩童。遥：远远地。杏花村：现在常说的杏花村是山西汾阳县城东北的杏花村，所产汾酒全国有名。实际上，本诗中杏花村

应该是安徽池州市贵池区西的杏花村,杜牧曾在此出任刺史,这里所产的大曲酒亦负盛名。《江南通志》载,每年清明节,这里杏花盛开,杜牧总要到杏花村的酒家畅饮。《清明》诗应该写于此时。后世因此诗多命名酒店为"杏花村"。

导读

这首诗是非常独特的,它将纷乱的愁绪带向了一个美丽的境界。本诗第一句用"兴"法"先言他物"为"起",以春日清明时节的纷乱雨丝编织了一片迷蒙的愁绪笼罩全篇。春天本来阳光明媚,百花盛开,非常美丽,但这个节日却是鬼节,使春日充满忧郁,没有别的东西上眼,只有纷乱无节的阴雨惹人生愁。第二句"以引起所咏之辞"为"承",交代纷乱阴郁气氛笼罩下的愁情满怀、丧魂失魄的行人,因丧失亲人,思念亲人,睹物思人,或远离家乡不能为亲人扫墓而心情阴郁,情绪低落,愁情难遣。愁情难遣亦须遣,第三句为"转",要寻酒家借酒遣愁。"借问酒家何处有"一句是诗句,也是真实的一问,"借问"也是客气的、符合礼数的,即使借酒遣愁,也蛮有节度。善意的询问得个美丽的回报,本诗的妙处全在最后一句,收拢全篇为"合"。回答的人不是大人,而是牧童,牧童总是与天真、可爱、稚嫩、纯洁的春的气息相谐和,是"牧童"的亮色,又让充满愁情的行人觉知到了春的存在,诗意所映现的春天的美始于牧童,而最美的诗境还在牧童"遥"指的"杏花村"。杏花村,一个被盛开的杏花包围掩映的小村子,一个远远望去粉红如雾、春意盎然的美丽的小天地,不管能不能看到酒旗,阴郁天气中的一片亮丽,已经让肝肠寸断的行人摆脱了痛苦,陶醉于其中。本诗至"杏花村",愁情抑绪,于是消融。"文似看山不喜平",本诗四句,一转一折,婉曲动人,其结尾总给人以希望,与他的《山行》诗一样,正是诗人爽朗豪迈的积极人生态度的体现。

吟诵提示

这是一首平起的七言绝句,按照吟诵格律诗的要求,各句吟诵的停顿处是第一句的第二个字、第二句的第四个字、第三句的第四个字、第四句的第二个字以及韵字,简单地说就是"二四四二"及韵字。

清明节是祭奠亡故亲人的日子,本诗的情感基调自然是悲愁、苦闷和忧伤。但音调不宜太低,适中即可。第一句的"纷纷"二字要特别注意,由于"雨"是仄声字,不宜长吟,所以在第六个字位置上的第一个"纷"字可以适当长吟。我们知道,连绵字第二个字一般都可以长吟,而且第二个"纷"字在句尾,又是韵字。这样两个"纷"字都可以长吟,第二个"纷"字可以吟得稍长一些,把春雨绵绵的情景表现出来。第二句的"欲"是入声字,不宜长吟,但是"欲"字十分重要,而且是在第五个字的位置上,要重读以示重视。通过重点长吟韵字"魂",将诗人由于悲伤而"欲断魂"的感觉表现出来,自然引出借酒遣愁的想法。"欲断魂"三字在全诗中是感情的最低处,也是吟诵时音调的最低处。第三句的"何"是平声字,又是在第五个字的位置上,自然可以适当长吟。"何处有"三字是问牧童,因此吟诵时语气要适当放轻,给人亲切和善的感觉。尾句的"遥"字可以适当长吟,将牧童给诗人指路的情景表现出来;"花"字也可以适当长吟,长吟"花"字,可以提升本诗的意境,将读者的思绪引向牧童遥指的那个杏花环绕的村落。"杏花村"三字可以适当提升音调,把诗人知道哪里有沽酒之处的喜悦心情表现出来。总之,这首诗吟诵的难度不是很大,难的是怎样恰如其分地把握住诗人的情感。悲愁、苦闷、忧伤,乃至最后听到何处有酒可沽时的一丝喜悦,都不能过分,适中最好。

47 江南春

(唐)杜牧

千里莺啼绿映红，[1]
水村山郭酒旗风。[2]
南朝四百八十寺，[3]
多少楼台烟雨中。[4]

江南春

(唐)杜牧

千里莺啼/绿映红,
○ ● ○ ○ ● ● △

水村/山郭酒旗风。
● ○ ○ ● ● ○ △

南朝/四百八十寺,
○ ○ ● ● ● ● ●

多少楼台/烟雨中。
○ ● ○ ○ ● ● △

注释

[1]千里:极言地域广阔。莺:一种鸣声婉转的鸟儿,又名鸧鹒、黄鸟、黄鹂。映:掩映,互相遮衬。

[2]水村:河湖相绕的村子。山郭:傍山的村寨。酒旗:又名酒望、酒帘、青旗等,是古代酒店悬挂的幌子,相当于今天的广告牌。风:酒旗在风中舞动。

[3]南朝:中国南北朝时期,江南地区的宋、齐、梁、陈四朝的总称。因四朝都建都于建康(即今南京市),故称南朝。四百八十寺:极言寺庙之多。寺:一般指佛教信徒修行、传法的地方,后来也指别的宗教修行传道的场所。

[4]楼台:泛指建筑。

导读

　　这首诗的高妙之处在于它高度的艺术概括力。写春天的景致,一景一物,片景片物,如杜甫的绝句《迟日江山丽》等,似乎容易些。这首诗仅用二十八个字,却括尽了江南的春景。没有对南方春景的了解,作者做不到;没有对江南春景的独特领悟,作者做不到;没有高超的艺术技巧,作者也做不到。这是一幅只能存在于诗中的雄丽的江南风景画,因为它不可能被画出来,但它却又真是一幅风景画。作诗起句要壮,以发惊警。"千里"一词括尽江南,打开无限的视野,独特的景致便可一一展现:不知道有多少只黄鹂东西南北地歌唱着春天;不知道有多少株红花绿树,簇簇团团,如云如烟,或聚如云锦,或散如珠玉,互相掩映,互相托衬,错落四方,编织出江南大地的美丽;不知道有多少个山环水绕的村寨铺满江南;不知道有多少面酒旗在春风中飘摇舞动,展示着江南的逸情与富庶。而南朝时留下的无数寺庙不仅让人感受到江南文化与历史的厚重,同时也让人体会到了江南大地的太平与安静。特别是那无数的楼台亭阁,正是繁华江南的真正标志,烟雨的笼罩增强了春天繁华江南的迷离朦胧之美,正是一幅烟雨江南图。作者巨笔如椽,以浓墨重彩,活画了江南神韵。这是诗中酣畅淋漓的大写意。

吟诵提示

　　这是一首仄起的七言绝句,按照吟诵格律诗的要求,各句吟诵的停顿处是第一句的第四个字、第二句的第二个字、第三句的第二个字、第四句的第四个字以及韵字,简单地说就是"四二二四"及韵字。

　　这是一首集写景与政治讽喻于一体的诗篇。其特点是视野开阔,语气激昂;其情感基调是开朗、高昂,有快人快语的味道。第一句前四个字中三个都是平声字,吟诵起来节奏可适当放慢,把诗人看到的"千里"的景色都表现出来。"绿"是入声字,不宜长吟,因此可以适当长吟"映"字,虽然"映"

是仄声字。第二句的"旗"字可以适当长吟,把"水村山郭"四处酒旗招展的情景表现出来。第三句是过渡句,语气可以适当放轻,"四"是仄声字,"百"、"八"和"十"都是入声字,所以这几个字都只能轻轻地一带而过,在"寺"字处长吟,结束这一句的吟诵。尾句除在节奏点"台"字处长吟外,"烟"字也可以长吟。长吟"烟"字,将江南雨雾蒙蒙的意境表现出来,大有玩味之处。

48 蜂[1]

（唐）罗隐

不论平地与山尖,[2]

无限风光尽被占。[3]

采得百花成蜜后,[4]

为谁辛苦为谁甜?

蜂

(唐)罗隐

不论／平地与山尖,
● ○ ○ ● ● ○ △

无限风光／尽被占。
○ ● ● ● ● △

采得百花／成蜜后,
● ● ● ● ● ● ●

为谁／辛苦为谁甜?
● ○ ○ ● ● ○ △

作者介绍

罗隐(833—910),唐代文学家。原名横,字昭谏,杭州新城(今浙江富阳西南)人。罗隐大半生都在求取功名,却怀才不遇,十分愤世。其诗以讽刺为主,情绪较为激烈,在晚唐继承了新乐府运动的精神,直面现实,批判社会的黑暗与不公,表达了对被剥削、被压迫的劳动者不幸命运的深切同情。

注释

[1] 蜂:蜜蜂。
[2] 平地:地势平坦的原野。山尖:山顶。
[3] 风光:代指各种能采到蜜的地方。

[4]百花：泛指各种花。

导读

这首咏物诗以辛勤的蜜蜂作喻，形象地写出了劳动者的劳动果实被剥夺的不公处境，饱含激愤之情。本诗写了蜜蜂跑遍高山平野，到处采蜜，辛苦至极，可是，采得的成果却不知道被谁用去了。深刻地揭露了统治者的无赖、霸道与贪婪，表达了对劳动者弱势与可怜的深切同情。本诗全用口语，在民间流传很广。

吟诵提示

这是一首平起的七言绝句，按照吟诵格律诗的规则，每句吟诵停顿处是第一句的第二个字、第二句的第四个字、第三句的第四个字、第四句的第二个字以及韵字，简单地说就是"二四四二"及韵字。

这首诗叙述平易，唱叹有情。吟诵时，前两句可用舒缓基调，第一句"不论"的"论"字按古音有两种读法，此处读平声 lún，并且要长吟，强调到处都有蜜蜂的踪迹。第二句的节奏点在"光"字上，长吟可以把对蜜蜂的颂扬尽情地表现出来。"尽"字可适度强调，突出蜜蜂的勤劳。尾字"占"也有两种读法，此处读为平声 zhān，与"尖""甜"押韵。第三句的"成"是关键字，对蜜蜂评价的转变就在这个"成"字上。"成"是平声字，又是在第五个字的位置上，所以应该提高音调并适当长吟，使人感叹蜜蜂辛勤的劳作、无私的贡献。最后一句，有两个"为谁"，都应该重读长吟，但诗人强调的是前一个"为谁"，因此前一个"为谁"音调可以适当高一些，使两个"为谁"有所区别，充分表达诗人的矜惜怜悯之意。

49 江上渔者[1]

（宋）范仲淹

江上往来人，
但爱鲈鱼美[2]。
君看一叶舟[3]，
出没风波里。

江上渔者

(宋)范仲淹

江上往来/人,
但爱鲈鱼/美。
君看/一叶舟,
出没风波/里。

作者介绍

范仲淹(989—1052),宋代文学家,字希文,苏州吴县(今江苏苏州)人。幼年刻苦自学,宋真宗大中祥符年间进士,官至枢密副使、参知政事,谥"文正"。他的诗非常豪放,以反映边塞生活的征战劳苦与刻画边地风光为长。

注释

[1] 江:长江。渔者:打鱼的人。

[2] 但:只。鲈鱼:一种身体扁狭、头大嘴大鳞细、味道鲜美的鱼。

[3] 君:对对方的尊称,代"您"。一叶:形容船体甚小,在汹涌的大江里像小小的落叶随波沉浮。

导读

本诗表达了对江上打鱼者充满艰辛与危险的不幸生活的同情。来往于江南江北的人只知道鲈鱼味道鲜美,却不曾想这鲜美的鲈鱼充满危险与艰辛的来历,那是渔民拼了命在与江上惊涛骇浪的搏斗中夺来的。他们的小船相对于浩渺凶险的江水来说是那样的渺小,像片树叶一样,在翻滚的风口浪尖上时隐时现,随时都有倾覆的危险,充分表现了江上渔民生活的艰辛,表达了作者对下层百姓的同情。

吟诵提示

这是一首五言古绝,押仄声韵,吟诵各句时停顿处是第一句的第四个字、第二句的第四个字、第三句的第二个字、第四句的第四个字以及韵字,简单地说就是"四四二四"及韵字。

这首诗与李绅《悯农》的感情色彩极为相近,情感基调也是忧郁深沉,充满了怜悯关切之情。第一句的"来"字在节奏点上,自然可以长吟,"人"虽然不是韵字,但在句尾,依然可以适当长吟,表明对江上渔者的尊敬,及第一句的结束。第二句的"爱"是拗字,用"鱼"字来救,所以只能长吟"鱼"字。第三句的"看"是平声寒韵,可以长吟。"舟"是平声字,又在句尾,可以适当长吟,并且通过适当长吟,引出下一句"出没风波里"。尾句的"风"是平声字,又是在五言诗第三个字的位置上,自然可以长吟;"波"字在节奏点上,也应该长吟,而且这两个字是全诗的核心词语,反映江上渔者辛苦、危险的就是这两个字,所以这两个字一定要长吟。总之,这首诗的吟诵还是有一定难度的,只有把握住每个字的平仄,理解了诗人的创作意图,才能把这首诗吟好。

50 元日[1]

（宋）王安石

爆竹声中一岁除，[2]
春风送暖入屠苏。[3]
千门万户曈曈日，[4]
总把新桃换旧符。[5]

元 日

(宋)王安石

爆竹声中／一岁除，
春风／送暖入屠苏。
千门／万户曈曈日，
总把新桃／换旧符。

作者介绍

王安石(1021—1086)，北宋著名政治家、诗人，"唐宋八大家"之一。字介甫，晚号半山，临川(今江西抚州)人，庆历二年(1042)登进士甲科，长期在各地方任职。神宗初年以其改革主张受到重用，主持了著名的熙宁变法。变法因激烈而触犯了许多人的利益，而且也产生了许多流弊，最后失败。因司马光废除新法，忧愤而死。其诗境界萧瑟苍凉，反映其内心的不平与隐痛，但也有一些从容闲淡的诗;语言锤炼圆熟，体式以七绝居多，也最为出色。

注释

[1]元日:农历正月初一,即春节。

[2]爆竹:古代节日或喜庆日,以燃烧竹子发出噼啪声来驱除山鬼,后以炮仗代之。除:去。

[3]屠苏:一种药酒。古代过年时全家人饮用用屠苏草泡的酒以驱邪延年,祈求长寿。

[4]曈曈:日出时光亮的样子。

[5]桃、符:桃木被古人认为是驱邪的木头,古代过年时,人们用桃木板写上神荼、郁垒两位神灵的名字,挂在大门的两旁,用来辟邪,这是最早的门神样式,也是春联的早期形态。

导读

这首诗像风俗画一样生动地描绘了北宋时期过年时充满生机与希望的热闹喜庆场面,表达了王安石除旧布新的革新精神。本诗从过年时最典型、最动人的爆竹声写起,送走了旧年,迎来了喜庆的新年。新年新气象,人们幸福地痛饮着屠苏酒,祈求着健康长寿,千万杯温和的酒犹如和煦的春风暖人心肺,给新年的人们带来融融和乐。家家户户开门辟牖,迎接那刚刚升起的明亮的新日朝阳,满心欢喜。最后通过"新桃换旧符"的细节卒章显志,以一个"换"字有力地一转,将全诗的一切用意都落在诗的主题"新"字上,即过年的意义上,将新年的喜庆气氛推向了高潮。新爆竹新年新春新酒新风新日新桃符,新的,就是美的;新的,就充满了生机,充满了希望。本诗正体现了作为政治家的王安石对变革现实所表现出的积极和热情。

吟诵提示

这是一首仄起的七言绝句,格律精准,音韵完美,堪称吟诵的最佳范本,这在古诗中是不多见的。按照吟诵格律诗的要求,吟诵各句时停顿处是第一句的第四个字、第二句的第二个字、第三句的第二个字、第四句的第四个字以及韵字,简单地说就是"四二二四"及韵字。

王安石是北宋神宗时期著名的改革家,本诗亦表现出他对改革的期望,情感基调是意气风发、情绪高昂,给人以沉着自信的感觉。第一句除节奏点"中"字应该长吟外,"除"是韵字,也要长吟,表明一年已经过去。第二句除长吟"风"字、"苏"字外,本来应该长吟第五个字"入"字,可"入"是入声字,不宜长吟,只能适当长吟"屠"字了。又因为"屠"字后面是韵字,如果两个字都长吟,显得有些拖拉,失去了节奏美,因而"屠"字只能适当长吟。第三句的节奏点"门"字自然应该长吟,"曈曈"是连绵词,吟诵连绵词时一般都是长吟第二个字,但"曈"是平声字,第一个"曈"字在第五个字的位置上,应该长吟,所以连绵词"曈曈"长吟的任务就落在第一个字上了。尾句要特别注意"换"字。"换"字是全诗的诗眼,寄托着诗人对改革的全部期望,表现出诗人对改革的坚定信心,但"换"是仄声字,不宜长吟,我们可以通过适当长吟,并提高音调的方法,表现对"换"的重视。总之,此诗的吟诵关键在于对诗人、诗篇的理解。理解准确了,就能把诗人写作此诗的思想感情表达出来。

51 泊船瓜洲[1]

（宋）王安石

京口瓜洲一水间，[2]

钟山只隔数重山。[3]

春风又绿江南岸，[4]

明月何时照我还？

泊船瓜洲

(宋)王安石

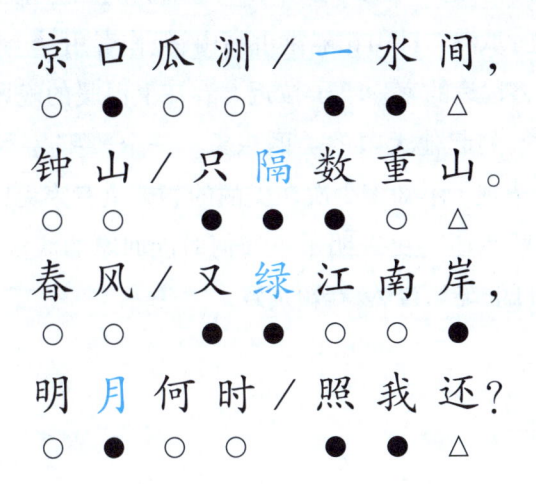

京口瓜洲／一水间，
○●○○　●●△

钟山／只隔数重山。
○○　●●●○△

春风／又绿江南岸，
○○　●●○○●

明月何时／照我还？
○●○○　●●△

注释

[1]泊：停船靠岸。瓜洲：在今江苏扬州市邗江区南部，京杭大运河分支入江处，位于长江北岸，是著名的古渡口。

[2]京口：今江苏镇江市，在长江南岸。一水间：一水之间，一水相连的意思。

[3]钟山：紫金山，位于今江苏南京市区东，是诗人当时的家居之所。数重：多重，意思是从镇江到南京路途遥远。

[4]绿：动词，吹绿。据说此字作者改过多次，曾用了"到""过""入""满"等，最后才选了此字，足见诗人对字词的锤炼功夫。

导读

王安石有感于天下积弊,锐意改革,整日忙碌奔走,路过离其家还相当远的瓜洲时写下了这首诗,表达了对家的眷恋。瓜洲离他家实际上还很远,但在他的心里却十分近。长江宽阔,京口与瓜洲隔江遥望,但在作者眼中,却只是一水相连;瓜洲与钟山相隔重重高山,但作者用一个"只"字,轻淡其远,深深的思念将远远的家一下子拉近。春江上温暖的晚风使他想到江南碧绿一色的春景,勾起他无限的美丽想象。一个"绿"字写尽了江南的春色,一个"又"字毕现了不知多少次在美丽的春天里有家无归的落寞。最后一句"明月何时照我还",更表明了不知何时能回家的淡淡的无奈与感伤。此诗写得意境开阔,妥帖自然,新颖别致。

吟诵提示

这是一首仄起的七言绝句,按照吟诵格律诗的要求,吟诵各句时停顿处是第一句的第四个字、第二句的第二个字、第三句的第二个字、第四句的第四个字以及韵字,简单地说就是"四二二四"及韵字。

此诗是王安石复相时从江宁(南京)赴汴京(开封)途经瓜洲时所作,其情感基调是低沉、忧郁,但又有一丝期望,有所期待。有人认为此诗是诗人贬官后被重新起用时所作,也有人认为此诗是诗人思念家乡之作,所以对诗篇的不同理解,就会确定不同的情感基调。第一句的"一水"表明京口与瓜洲一衣带水,离得很近,因此不宜长吟,况且此二字一个是入声字,一个是上声字,故只能轻轻带过。第二句除长吟节奏点第一个"山"字外,"重"是平声字,也可以适当长吟。吟诵此二句时应注意诗人的情绪比较低落。第三句要注意长吟"江"字,把诗人所处的位置点明。尾句的核心字是"还",要长吟。"照我"二字不宜长吟,可通过适当加重语气的方法表示强调,把诗人期望能早日回还的心情表现出来。第三、第四两句的音调应该有所提高,把诗人的期望表达出来。

52 书湖阴先生壁[1]

（宋）王安石

茅檐长扫净无苔,[2]
花木成畦手自栽。[3]
一水护田将绿绕,[4]
两山排闼送青来。[5]

书湖阴先生壁

(宋)王安石

茅檐 / 长扫净无苔,
○ ○ ○ ● ● ○ △

花木成畦 / 手自栽。
○ ● ○ ○ ● ● △

一水护田 / 将绿绕,
● ● ● ○ ○ ● ●

两山 / 排闼送青来。
● ○ ○ ● ● ○ △

注释

[1] 书:题写。湖阴先生:本名杨德逢,是作者住在金陵(今江苏南京)钟山(紫金山)时的邻居,也是作者交厚的隐士。壁:墙上。

[2] 茅檐:茅屋的檐下。长:常常。苔:青苔。

[3] 畦:田园中用小土埂分成的小区。

[4] 一水护田将绿绕:这句诗的意思是一条小河环绕着绿油油的田地。

[5] 排闼:闼进门。这句诗的意思是说,两座大山仿佛推门直入,送来了青翠的山色。

导读

　　王安石晚年闲居在钟山山麓的半山园,与附近村民来往密切。本诗即是夏初他到隐士湖阴先生家做客,有感于湖阴先生居家环境优美,且与其品格高逸相得益彰,即兴题于主人当院墙壁上的诗。想此情境,诗情兴发有不可遏制之状。第一句从连屋檐下的角落处都常常打扫得青苔不生的细节处写起,突出了小院的干净清洁。第二句写了小院之美,主人亲手栽下的花木丰沛满园,畦畦各异,美不胜收,显示了主人勤劳与不俗的品格。后两句再次以门外的景致对主人高洁的品格进行衬托。先写了小河有情,守护着主人那长势茂盛的庄稼,"护""绕"二字显得特别有情;后写了门外两座青山有意,仿佛推门而入,送来了满眼的碧绿,"送"字特别有意。水有情,山有意,正体现着主人与其生活环境的亲密无间、和谐完美,是对主人清洁雅静、热爱生活的美好品格的进一步烘托。后两句对仗工整,移情于物,自然生动,成为王安石甚为得意的名句。

吟诵提示

　　这是一首平起的七言绝句,按照吟诵格律诗的要求,吟诵各句时停顿处是第一句的第二个字、第二句的第四个字、第三句的第四个字、第四句的第二个字以及韵字,简单地说就是"二四四二"及韵字。

　　这是一首题壁诗,写出友人房舍周围的景致,情趣盎然,心情愉悦,因此此诗的情感基调是轻松、深情、豁达、喜悦。第一句的"净"字十分重要,它表明友人房舍的洁净典雅,本来应该长吟,但"净"是仄声字,不宜长吟,只能用提升音高的方法,强调"净"字的重要。第二句的"手"字也十分重要,诗人赞美友人庭院的花木都是主人亲自栽培的,所以"手"字也应长吟。但"手"也是仄声字,只能用提升音高的方法表示其重要。第三句的"将"是平声字,又是在第五个字的位置上,应长吟,句尾的"绕"虽然是仄声字,但仍然应该适当长吟,把水绕农田的意象表现出来。尾句的重点是把"送青来"三个字吟好。"送"字十分重要,一个"送"字就把青山写活了,又是在第五个字的位置上,但"送"是仄声字,不宜长吟,只能用提升音高的方法表示强调。"青"是平声字,可以长吟,可以把不能长吟的"送"字的抑郁,都发泄在"青"字上。韵字"来"更应该长吟,把对友人的感情、对田舍的赞美,通过长吟表现出来。

53 六月二十七日望湖楼醉书[1]

（宋）苏轼

黑云翻墨未遮山，[2]
白雨跳珠乱入船。[3]
卷地风来忽吹散，[4]
望湖楼下水如天。

六月二十七日望湖楼醉书

(宋) 苏轼

黑云/翻墨未遮山,
白雨跳珠/乱入船。
卷地风来/忽吹散,
望湖/楼下水如天。

作者介绍

苏轼(1037—1101),北宋文学家、书画家。字子瞻,号东坡居士。出生于眉州眉山(今属四川)一个比较清寒的文士家庭,父苏洵、弟苏辙均为北宋著名文学家,世称"三苏"。苏轼一生不合时宜。王安石变法,苏轼反对新法主动外放,又因有人举报他以诗文攻击新法下狱,被贬,几近杀头。后保守派司马光执政,他被调回朝廷,多年的贬谪使他了解民间底层的生活后,又支持新法,再次被贬。苏轼是中国历史上杰出的散文家与诗人,虽然一生不得志,但他为人旷达豪迈、熟悉佛道、胸襟开阔,这使得他的诗作风格豪放,想象力丰富,有散文化、好议论的特点。

注释

[1]望湖楼:在今浙江杭州市西湖边昭庆寺前。醉书:醉酒中写的诗。

[2]黑云翻墨:形容黑云像打翻了墨桶一样翻滚涌动,渲染了大雨将至的骇人气势。

[3]白雨跳珠乱入船:白色的雨点像珍珠似的纷纷往船上跳,形容雨急且大。

[4]卷地风:直卷到地面的大风。

导读

这首诗激情地描绘了作者醉意朦胧中在夏日西湖上遭遇急雨的感受:语急,境急,情急,突出一个"急"字。诗家所谓"语未了便转","急"又全落实于"转"字。第一句"黑云翻墨"沉雄悚惧,一派汹汹之势,"未遮山"为"一转",属句中转。黑云势大,但并未全遮,云天互与争锋,全遮则兴味索然了,此为"一急"。第二句"白雨跳珠乱入船"为"二转",属句间转。黑云尚未遮山,与晴空尚在互搏,雨就倾盆而泻,乱珠纷飞。"白雨"是浓黑乌云的反衬效果,迸溅的水珠纷乱地跳到了船上,写出了雨急且大,此为"二急"。第三句"卷地风来忽吹散"为"三转",一阵狂风卷扫,霎时云散雨收。"卷地风"突出风势狂烈,"忽"即瞬间,突出风急,此为"三急"。最后落笔处,"望湖楼下水如天",急雨忽霁,碧水蓝天,水天一色,洁净空阔,风平浪静,一片祥和,使整首诗境界全出,这是狂风暴雨整个过程的最后结果,意转,此为"四转"。西湖急雨由动而静,戛然于此,好像什么都没发生过,最后归于平静,此为"不急"。本诗深有作文的波折之法,在转折中,使诗境层层提升,一转一境,境境不同,丰富了本诗的意蕴,增强了其深幽的审美趣味。诗中转折虽多,但以"急"字统之,亦不使人觉得拖沓,相反,更增迅急之感。本诗通篇四句既是景语,亦是情语,情景交融,浑然一体。

🗒 **吟诵提示**

这是一首平起的七言绝句,按照吟诵格律诗的要求,吟诵各句时停顿处是第一句的第二个字、第二句的第四个字、第三句的第四个字、第四句的第二个字以及韵字,简单地说就是"二四四二"及韵字。

这是一首写景诗。诗人在望湖楼上饮酒取乐,但见乌云翻滚,暴雨如注,顷刻疾风骤起,云散雨停,遂有感而发。此诗前两句情绪高昂、言辞激切,后两句语言逐渐缓和,心绪逐渐平静,吟诵时要特别注意。前两句吟诵时语速可适当放快,把疾风暴雨的情景表现出来。除节奏点上的关键字及韵字外,"遮"字是平声,也可以长吟,长吟"遮"字可以把乌云翻滚的情景表现出来;"乱入"二字一个是去声字,一个是入声字,都不可长吟,可清脆地吟出,让人觉得好似有雨点噼噼啪啪打在船上的效果为最佳。后两句吟诵时语速可以适当放慢,"风""来""吹"三字都是平声字,即使不长吟,也要将节奏拖慢,尤其是"吹"字,更可以长吟,把风吹云散的意象表现出来。尾句的"如"字可长吟,将天水一色的情景表现出来,但因"如"字后面是韵字,不可吟得过长,适可而止为好。总之,吟诵这首诗的难度在于把握诗人思想感情的变化,抓住了这一点,吟诵起来就没有什么问题了。

54 饮湖上初晴后雨[1]

(宋)苏轼

水光潋滟晴方好,[2]
山色空蒙雨亦奇。[3]
欲把西湖比西子,[4]
淡妆浓抹总相宜。[5]

饮湖上初晴后雨

（宋）苏轼

水光／潋滟晴方好，

山色空蒙／雨亦奇。

欲把西湖／比西子，

淡妆／浓抹总相宜。

注释

[1] 湖上：指西湖上。

[2] 潋滟：波光闪动的样子。方好：才正好，正显得美。

[3] 空蒙：云雾迷茫的样子。亦奇：也奇妙。

[4] 西子：西施，春秋时越国著名的美女，中国古代四大美女之一（其他三位是汉代的王昭君、三国时的貂蝉与唐代的杨玉环）。西施于西湖浣纱，鱼儿见之而沉入水底，所以她的美有"沉鱼"之说。苏轼的这个比喻因巧妙而成为名句。

[5] 淡妆浓抹：无论怎样打扮。相宜：合适。

导读

　　这是一首描写西湖的千古传诵的名篇,写的是饮酒西湖,欣赏着夏日湖上先晴后雨的美妙。前两句写景,以对仗的方式先写了晴日的西湖水波荡漾,波光粼粼,阳光给西湖披上五光十色的霓裳羽衣,表明晴日是西湖最美的时候。后两句非常工整地描述了细雨迷蒙中的山峦时隐时现,变幻莫测,更加神奇。西湖的山须有雨雾才幻化奇异,正是晴亦好,雨亦好,晴有晴的景致,雨有雨的风韵。前两句写景之句尚需点化才能突出主旨,所以在后两句,作者以一个浑然天成的比喻,使前两句意义昭然。西湖晴日有晴日的美丽,雨天有雨天的风韵,犹如西子无论怎么打扮,淡妆还是浓抹,都是那么美丽。把西湖比西子,生动活画了自然风光的美人形象,遂使该句传诵永久。这种无时不好、无处不好的审美欣赏,表现了苏轼随遇而安、无可无不可的闲适超然的心境。

吟诵提示

　　这是一首平起的七言绝句,按照吟诵格律诗的要求,吟诵各句时停顿处是第一句的第二个字、第二句的第四个字、第三句的第四个字、第四句的第二个字以及韵字,简单地说就是"二四四二"及韵字。

　　这是诗人游览西湖时初晴后雨,心有所感而作。在诗人眼中,无论是晴天的西湖,还是雨中的西湖,都是美不胜收的,所以此诗的情感基调是陶醉于自然山水的喜悦。吟诵时要精神放松,不用激动感慨,没有一丝忧郁悲伤,轻轻地随口吟出,仿佛自己也乘坐一叶扁舟与诗人同游西湖。前两句除节奏点及韵字必须长吟外,"晴"字可长吟;"雨"字不宜长吟,可适当加重语气,表示强调。第三句的第二个"西"字可适当加重语气半长吟,因为西施是人所共知的美女,也是强调西湖之美。尾句的重点在"相宜"二字,"相"是平声字,可长吟,"宜"是韵字,更可长吟,长吟此二字,将晴天的西湖、雨中的西湖都概括了,无论什么时候,西湖都是美丽的,将诗篇的情感推到最高处。

55 惠崇春江晓景[1]

(宋) 苏轼

竹外桃花三两枝,[2]
春江水暖鸭先知。[3]
蒌蒿满地芦芽短,[4]
正是河豚欲上时。[5]

惠崇春江晓景

(宋)苏轼

竹外桃花/三两枝,
春江/水暖鸭先知。
蒌蒿/满地芦芽短,
正是河豚/欲上时。

注释

[1]惠崇:北宋著名画家,与苏轼并非一个时代,苏轼只见其画,未见其人。惠崇是个和尚,他的画以鹅、鸭等小景为主,善画江南水乡景致,加之禽鸟小兽,时称"惠崇小景"。他还精于作诗,是宋九诗僧之一。春江晓景:画名,不同版本有作"春江晚景"者。

[2]三两枝:桃花枝条稀疏。

[3]鸭先知:画上只有鸭子,所以说"水暖鸭先知"。

[4]蒌蒿:又名水艾、水蒿等,生长于湿润的疏林中、水边、荒地等。其嫩茎叶可凉拌、炒食,根状茎可腌制。芦芽:芦苇的嫩芽,即芦笋,可食。

[5]河豚:一种生长在江南河道中的鱼,味道鲜美,但其卵巢与肝脏有剧毒。上:沿江而上。

导读

这是一首题画诗,诗中苏轼有感于惠崇《春江晓景》的画意并对之加以想象性的描述。前三句直接描写画面春色:翠竹外边稀稀疏疏地点缀着几枝娇艳的桃花,荡漾着盎然的春的气息;几只鸭子热闹地追逐游戏,让人感到春江之水的暖意;满地疯长的蒌蒿和茁壮嫩绿的芦芽显示出春的力量。总之,春天正勃发着、涌动着全面展开。第四句则通过想象那令人垂涎的河豚要涌上江来,更拨动着人们对春天热切的期望。春天充满生机和情趣,处处让人们感受着对自然的喜悦。这正是苏轼以亲切愉快的心态看待生活的体现,所以他能以灵妙的想象与活泼的语言描绘生活中生机盎然、富有情趣的事物,让人感受到他那富于智慧而又温厚的人格。

吟诵提示

这是一首仄起的七言绝句,按照吟诵格律诗的要求,吟诵各句时停顿处是第一句的第四个字、第二句的第二个字、第三句的第二个字、第四句的第四个字以及韵字,简单地说就是"四二二四"及韵字。

这首题画诗的情感基调是不动声色的喜悦。前两句除节奏点及韵字必须长吟外,"三""先"二字都应长吟。"先"字寓意非常深刻,既表现了鸭子对江水的冷暖十分敏感,也表现了诗人对政治变化的敏感,通过长吟将诗人复杂的感情表现出来。后两句从画面上的蒌蒿、芦芽联想到河豚已逆流而上。蒌蒿、芦芽、河豚都是下酒的美味,但此时正值神宗去世,举国哀悼,不能畅饮,所以诗人只能通过几味美食表达畅饮的喜悦。吟诵后两句时,要在平静之中表现出喜悦之情,需长吟"蒌蒿""芦芽""河豚"这三个词,这三个词都是平声字,都可以长吟绝非偶然,显见是作者有意为之。吟好这首诗的关键是对这首诗有准确的定位和深刻的理解。通过对这首诗的分析也可以看出,只有通过吟诵,才能更好地理解、欣赏作品。

56 题西林壁[1]

(宋)苏轼

横看成岭侧成峰,[2]
远近高低各不同。
不识庐山真面目,[3]
只缘身在此山中。[4]

题西林壁

(宋)苏轼

横看／成岭侧成峰，
○○　○●　●○　△

远近高低／各不同。
●●　○●　●●　△

不识庐山／真面目，
●●　○○　○●　●

只缘／身在此山中。
●○　○●　●○　△

注释

[1]题：书写。西林：西林寺，在今江西庐山上。壁：墙上。

[2]横看：正面看。

[3]庐山：在今江西境内，以雄、奇、险、秀著称，素有"匡庐奇秀甲天下"之美誉。真面目：本来面貌。

[4]缘：因为。

导读

元丰七年(1084)，苏轼由黄州团练副使改任汝州团练副使，从湖北黄冈到河南临汝赴任，途中来到九江，和朋友同游庐山，于西林寺的墙上写下此诗。可见,诗本性情之作,即景兴情,随物题诗。这期间,他曾多次游庐山,登临方位及高度不同,感受与体验就不同,遂使他悟出了其中的道理。本诗第一句从正面和侧面来写庐山的不同风貌,同一山峦,从正面看是一脉无限延伸的横岭,而从侧面看则变成了耸立云天、壁立千仞的高峰。第二句接着从更多的角度观察同一山峦所呈现出的无限形态,远近高低都有不同的面貌。前面充分的描述为下文的体悟做了充分的铺垫。后两句则以比喻的形式表达了一个深刻的哲理:为什么从不同的角度观览,庐山会有不同的面貌?其中哪一个面目是庐山的真面目?庐山的真面目是什么?这些都是不能肯定回答的问题。为什么会这样呢?因为身在此山之中,看到的都是庐山的局部,哪一个局部也代表不了整体。作者没说出的言外之意是:要想了解一个事物,必须跳出这个事物本身,从一个更为宏大的角度借外观之,才能达到目的。以人生而论,苏轼是说,只有超越人生所陷落的狭小境遇,才能看清世事的真相。这首诗把写景、抒情、哲理融为一体,喻理于事于景,亲切妥帖,浅近中含深厚,充满诗情意趣,遂成千古名篇。

吟诵提示

这是一首平起的七言绝句,按照吟诵格律诗的要求,吟诵各句时停顿处是第一句的第二个字、第二句的第四个字、第三句的第四个字、第四句的第二个字以及韵字,简单地说就是"二四四二"及韵字。

这是一首写景诗,亦是一首哲理诗,情感基调是平和自然,带有一点谈禅说理的味道。第一句的"看"要读为平声,两个"成"字都可长吟,尤其是第二个"成"字,更应该长吟,将高耸的山峰表现出来。第二句的"各""不"二字都是入声字,不能长吟,应一带而过,将长吟的任务放在韵字上。第三句的"真"是平声字,又是在第五个字的位置上,自然要长吟,此处长吟还有引起读者注意的作用。尾句的"缘""山"二字都是平声字,都有停顿、长吟、换气的作用,韵字自然要长吟,有点把秘密告诉别人后得意扬扬的味道。吟好这首诗的关键是把诗人谈禅的味道吟出来,把诗的意境吟出来。

57 夏日绝句

（宋）李清照

生当作人杰，[1]
死亦为鬼雄。[2]
至今思项羽，[3]
不肯过江东。

夏日绝句

(宋)李清照

生当作人杰,
○○●○●
死亦为鬼雄。
●●○●△
至今思项羽,
●○○●●
不肯过江东。
●●●○△

作者介绍

李清照(1084—约1151),我国历史上杰出的女词人,号易安居士,齐州章丘(今山东章丘市西北)人。北宋文学家李格非之女,生活于优裕的仕宦之家,自小多才多艺,十八岁那年嫁与太学生赵明诚。赵明诚喜收藏和研究金石碑刻、法帖字画,夫妇感情深挚,志趣相投。李清照早年过着悠闲的日子,其词作多以惜春、情感为主题,有贵族化的气息。北宋覆亡,她随夫南渡,夫死,国破家亡,晚年的不幸使其作品的情感基调一转而为愁苦悲愤。本诗即其晚年的诗作。

注释

[1] 人杰：人中的豪杰。

[2] 鬼雄：鬼中的英雄。

[3] 项羽：西楚霸王，秦末起义军的领袖，楚将项燕之后。与刘邦争夺天下失败，自感无颜面见江东父老，在乌江（今安徽和县东北）自杀。

导读

这首诗写于宋朝南渡后，此时北方已被金人占领，宋朝朝廷逃过长江，苟且于杭州一带，醉生梦死，无心北伐收复失地，令许多有志之士扼腕悲叹。这首诗即借西楚霸王项羽的故事，有力地讽刺了南宋朝廷的妥协偷生，无志无能。前两句以对仗的句式高度概括了西楚霸王项羽的英雄行为：活着是人中叱咤风云的豪杰，死了也是鬼中悲壮激烈的英雄！语句沉劲，力重千钧。后两句从精神品格上揭示了项羽的悲壮与高贵，令人肃然起敬：人们至今不忘项羽不只是因为他的英雄行为，更是因为他那不愿苟且偷生而选择以死报答江东父老的崇高品质。作者以古比今，句句如锤，直指南宋朝廷。这首诗没有用什么修辞方法，完全借议论抒情，慷慨雄劲，撼人心魄。

吟诵提示

这是一首五言绝句，第一句第二个字"当"是平声字，第四个字"人"是平声字，可以在"人"字处长吟。第二句第二个字、第四个字都是仄声字，不宜长吟，第三个字"为"是平声字，可以长吟。第三句第二个字"今"是平声字，可以长吟。尾句第四个字"江"是平声字，可以长吟。

本诗的情感基调是慷慨激昂，充满了对英雄精神的向往，并无悲愤凄凉之感。第一句起调须适当高亢，特别是"人"字，要特别突出，彰显对英雄的敬仰。第二句起调要低一些，"为"字可以长吟，而且从"为"字开始，音调又逐渐高扬。韵字"雄"可以长吟，并且要加重语气，表示重视。第三、第四两句是诗人抒发自己的情感，语气可适当放慢一些。第三句的"思"字是诗人用情极深之处，又是在五言诗第三个字的位置上，还是平声字，自然可以适当长吟。尾句的"过"字就不能长吟了，可以用适当加重语气的方法，表示强调。总之，这首诗的吟诵还是有一定难度的，把握好平仄，掌握住诗人希望表达的思想感情，是吟诵好这首诗的关键。

58 三衢道中[1]

（宋）曾几

梅子黄时日日晴，[2]
小溪泛尽却山行。[3]
绿阴不减来时路，[4]
添得黄鹂四五声。[5]

三衢道中

(宋)曾几

梅子黄时／日日晴，
小溪／泛尽却山行。
绿阴／不减来时路，
添得黄鹂／四五声。

作者介绍

曾几(1084—1166)，南宋著名诗人。字吉甫，自号茶山居士，赣州(今江西赣州)人。徽宗时任校书郎、应天少尹，高宗时任江南西路、两浙西路提刑。他是坚决抗金派，因此得罪秦桧，被罢官。后任广南西路转运副使，因与秦桧意见不合闲居江西上饶茶山七年，在秦桧死后复出。其诗作轻快清新，饶有情趣，开杨万里"诚斋体"一路。他是大诗人陆游的老师。

注释

[1] 三衢道中：行走在三衢山的山路上。三衢，三衢山，在今浙江常山县。

[2] 梅子黄时：农历五月，正是江南阴雨连绵的梅雨季节。

[3]小溪:小河。泛尽:乘着小船渡完。

[4]不减:没有减少,差不多。

[5]添得:增加。

导读

  这是一首纪行诗,写了诗人于三衢山中游赏的愉悦感受。曾几写诗善"转",他的弟子陆游曾说:"我得茶山一转语,文章切忌参死句。"(《赠应秀才诗》)这首诗的妙处也在一个"转"字,四句四转,越转兴致越浓,将游赏的愉悦在疾徐相间、错落有致的节奏中逐渐得到释放。第一句写景起兴,先言他物,渲染轻松的气氛。南方梅子始熟的五月,正是令人烦愁、阴雨连绵的梅雨时节,老天却有连续的晴日,令人心地敞亮,充满阳光,精神为之振奋。此为一转。有前面的气氛渲染,第二句表面叙述游赏路途,实写浓郁的游赏情致:乘着小船行得水尽,但并不息心,于是再弃舟行于山中,继续寻觅,足见其探奇览胜欲望之强烈,游兴之高涨。一个"却"字尽显了其游赏的心劲与忘情于山水的陶醉情态。此为二转。本来如此忘情地游玩山水,归途总有点儿令人扫兴,然而,一句"绿阴不减来时路",点明了归途中那浓浓的树荫洒下的满地清凉,比起来时的路并不减少,仍然令人神清气爽。此为三转。在这里诗人的情致稍微顿挫之后,继续升扬,最后一句"添得黄鹂四五声",将归途中与来时相异的别致的情趣全部托出:"添得"显得悠然与随意,使本来轻松的游赏更增添了几分灵动的色彩;"四五声",不多,也不少,恰到好处,将归途的稍许落寞化作了一片自由自在、清幽超逸的心境。此为四转。读此诗令人想起王维的"行到水穷处,坐看云起时"诗句,诗人大有王维那种情随境生、处处随心,无处不随意的无处不可、处处皆可的随顺心态与自由超脱的闲适心境。这首诗把一次平常的旅行写得婉曲有法,起伏有致,既写出了初夏山中的景色宜人,又写出了诗人闲适轻松的愉悦心情,写得充满情趣。

吟诵提示

这是一首仄起的七言绝句,按照吟诵格律诗的要求,各句吟诵停顿处是第一句的第四个字、第二句的第二个字、第三句的第二个字、第四句的第四个字以及韵字,简单地说就是"四二二四"及韵字。

梅雨时节,难得有个大晴天,更难得的是连续几天都是大晴天,诗人趁着好天气进三衢山游玩,心情自然十分愉悦,因此轻松喜悦是吟诵本诗的情感基调。吟诵第一句时就应该把喜悦之情表现出来,"日日"是两个重叠的入声字,入声字不能长吟,但是叠字的第二个字可以适当长吟,以表明已经有好几天都是晴天了,还可以把诗人内心的喜悦表现出来。第二句的"溪"字在节奏点上,自然应该长吟,长吟"溪"字还可以把弯弯曲曲的小溪形象地表现出来。"山"是平声字,此处可以适当长吟,与"溪"字相对,令人感受到诗人进山之行又是乘船又是步行的勃勃兴致。第三句的"来"字要特别注意,"来"是平声字,又在第五个字的位置上,可以适当长吟,强调回程也是一样兴奋喜悦。尾句吟诵的重点在"黄鹂"及"声"字上,把这三个字读活了,就能把黄鹂的鸣叫表现出来,诗的意境就全部表现出来了。总之,吟诵此诗,无须高亢兴奋,也不宜低沉抑郁,把诗人高兴地进山旅游又高兴地回来的心情表现出来就可以了。

59 示儿[1]

（宋）陆游

死去元知万事空，[2]

但悲不见九州同。[3]

王师北定中原日，[4]

家祭无忘告乃翁。[5]

示 儿

(宋)陆游

死去元知／万事空，
● ● ○ ○　● ● △
但悲／不见九州同。
● ○　● ● ○ ○ △
王师／北定中原日，
○ ○　● ● ○ ○ ●
家祭无忘／告乃翁。
○ ● ○ ●　● ● △

作者介绍

陆游(1125—1210)，南宋诗人。字务观，晚号放翁，越州山阴(今浙江绍兴)人，生长于一个富有文学与学术气息的仕宦之家。十二岁能诗文。幼年时正当金人南侵，长期过着逃难的生活，受家庭爱国气氛的熏陶，培养了其抗战复国的思想。科举时，受到秦桧的压制，到秦桧死后才参与政治活动。虽然政治上失意，军事上也因压制没什么成就，但一生主战不息，抗敌复国是其一生诗歌的主旋律。《示儿》是他的绝笔，主题可见。在四川随好友范成大做官时，由于志向不得施展，常饮酒作诗，消磨壮志，有人笑他放浪，他即自称"放翁"。陆游诗曾受江西诗派的影响，曾学诗于曾几、吕本中，但以其高才，早熔铸百家，超越前贤，开一代之宗，是南宋最杰出的诗人。他性格豪放、胸怀壮志，他的诗歌有热情汹涌、奔流激荡的宏大气概，兼有杜甫诗歌的沉郁顿挫与李白诗歌的飘逸奔放,形成一种磅礴雄浑、明朗流畅的风格,史称"放翁体"。陆游是南宋"中兴四大家"之首(其他三位是杨万里、范成大、尤袤)。

注释

[1]示儿:给儿子看。

[2]元知:"元"同"原",原来。万事空:万事都虚妄不实。

[3]九州同:祖国统一。

[4]王师:宋朝政府的军队。中原:指被金人占据的淮河以北的广大地区。

[5]家祭:在逢年过节时家里的祭祀活动。无忘:不要忘记。乃翁:你的父亲。

导读

陆游一生主战,一生失败。嘉泰初年,七十多岁尚随韩侂胄北伐,终究还是失利。八十五岁那年一病不起,在临终前留下此绝笔,也是遗嘱。诗中有遗恨,生不能抗敌复国,有此一愿梗心,可谓死不瞑目;也有希望,即仍把光复中原的意愿留给了后人,足见其一生对抗金的坚持。好诗不在于用什么美妙的修辞与费尽心机的手段去修饰,而在于它能否真实地写出压在世人心底的共同心声。当人们饱受战争的生灵涂炭之害,饱受山河分裂给家庭带来的妻离子散的痛苦,那种要求统一、和平、团圆、幸福、社会安定的需要,就成了大众热切期盼的愿景。这首诗没什么比兴之法,"敷陈其事而直言之",直抒胸臆,痛陈一生愿望不能实现的无限遗恨与期望后人完成心愿的坚定信心。第一句叙述,虽然原来就知道人死灯灭,万事不存,但还是难以忘记一生那唯一的愿望——国家山河一统,百姓安居乐业!虽然生前没有实现,但还是真切地希望死后灵魂不灭,能在家庭祭祀的时候,亲耳听到王师北定中原的消息。拳拳爱国之心,感天地,泣鬼神!所以,此诗一出,令人无不为之感动;特别是在外敌入侵或祖国分裂的情况下,此诗更能激起无数人的斗志与爱国热情。这首诗如果说有什么笔法的话,那就是从其老师曾几那里学来的活的诗法——"转",诗有两转,都表现了诗人生前愿望不能实现的不甘心以及由不甘心而希望后人实现的坚定信心,这正是这首诗的感人之处。

吟诵提示

这是一首仄起的七言绝句,按照吟诵格律诗的要求,各句吟诵停顿处是第一句的第四个字、第二句的第二个字、第三句的第二个字、第四句的第四个字以及韵字,简单地说就是"四二二四"及韵字。

这是诗人的绝笔诗,表达了诗人对祖国的热爱,情感基调显然是慷慨激昂,悲愤中带有对理想的坚定信念。第一句起调可以偏低一些,从"元知"二字开始逐渐升高,"万事"二字都是仄声字,不宜长吟,可以通过加重语气的方法,表示重视。第二句的"悲"字一定要吟得悲切,才能把诗人的感情表现出来。"州"在第六个字的位置上,可以适当长吟。第三句的"中"是平声字,又是在第五个字的位置上,可以适当长吟。受"中"字的影响,"原"字也可以适当长吟。尾句的感情要凝重沉稳,充满信心,诗人坚信王师肯定可以北定中原,希望自己的后人一定要告诉自己这个喜讯,所以这个"告"字很重要,但"告"是仄声字,不宜长吟,可以用长吟一半的长度表示强调,也不违背吟诵的原则。"忘"字在这里读平声 wáng,要长吟。总之,这首诗的吟诵难度不是很大,关键是把握住诗人的感情,把诗人对国事的关心表现出来,才算是达到理想的吟诵效果。

60 秋夜将晓出篱门迎凉有感[1]

(宋)陆游

三万里河东入海,[2]
五千仞岳上摩天。[3]
遗民泪尽胡尘里,[4]
南望王师又一年。[5]

秋夜将晓出篱门迎凉有感

(宋) 陆游

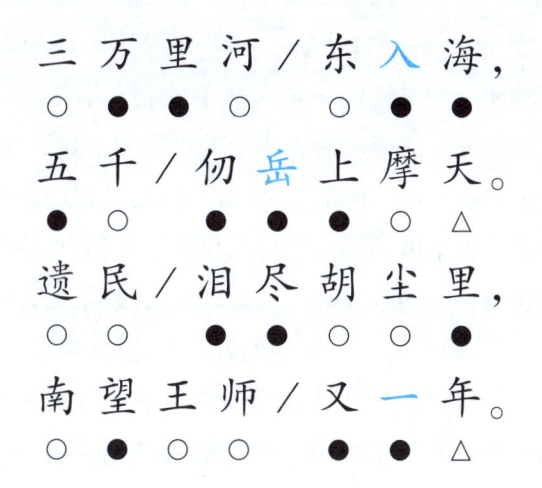

三万里河／东入海，

五千／仞岳上摩天。

遗民／泪尽胡尘里，

南望王师／又一年。

注释

[1] 将晓：天快要亮的时候。

[2] 三万里河：古代一般说河皆指黄河，代指中国北方的大河。三万里河是夸张的说法，形容河很长。

[3] 五千仞岳：指的是沦陷于金国的东岳、西岳、北岳与中岳，代指中国北方的高山。仞是古代长度单位，古时七尺或八尺为一仞，五千仞是以夸张的说法形容山体很高。

[4] 遗民：沦陷在金人统治下的宋朝百姓。胡尘：指金兵的铁骑扬起的尘土，代指金人充满杀伐的乌烟瘴气的统治。胡，是古时候对北方少数民族的泛称。

[5] 王师：宋朝官方的军队。

导读

这是陆游六十八岁时被免官闲居故乡山阴(今浙江绍兴)时的诗作。从题目上看,时间是秋夜,天尚未明,一大早诗人悲愁难眠,起来感受到的秋凉直寒到心里,陷入常年的忧国之痛中,愁情难遣,正是"逢秋未免悲,直以忧故国"(陆游《悲秋》)的最好注解。"凉"字是这首诗的情感核心,即"诗眼"。让诗人感到寒心的是沦陷于金人之手的北方雄伟壮丽的山河不能收回,以及在金人奴役下生活于水深火热中的可怜的宋朝百姓无望的期盼,令英雄扼腕,使壮士痛心。这首诗的前两句以工整的对仗,描写了被金人占领的大好河山,黄河绵延千里、滔滔不尽,四岳耸立千仞、直冲霄汉。在诗人的眼中,祖国山河壮美,令人爱之深切,但是却落入敌手,无人收回,令人愤恨!山河丢失,使人切齿,而百姓在无限期的奴役中煎熬,更让人感同身受,更让人有切肤之痛。后两句想象性地描述了宋朝遗民在充满杀伐之声的统治中过着痛苦的生活,他们哭干了眼泪。秋气渐深,又是一个年头要过去了,他们不知道这种痛苦的煎熬还有多久,还在期盼着自己军队的到来。一个"又"字突出了遗民的痛苦生活不知何时是个尽头,表现了诗人对沦陷中百姓不幸命运的深切同情,同时从另一个侧面也表达了诗人对南宋朝廷不思恢复、苟且偷安的极大不满。这首诗即意生情,即情生境,即景抒情,由凉意引出寒意,引出对北方壮丽山河与遗民痛苦生活的想象,表达着其因挚爱而生出的痛心、不平、愤恨与同情。这首诗以"迎凉"起意,表现忧国忧民的主题,因小生大,这表明无物无时无处无不关涉到他的人生主题,足见诗人抗战复国的情结之深。

吟诵提示

这是一首仄起的七言绝句,按照吟诵格律诗的要求,各句吟诵停顿处是第一句的第四个字、第二句的第二个字、第三句的第二个字、第四句的第四个字以及韵字,简单地说就是"四二二四"及韵字。

  这首诗前两句是写景,气势豪放;后两句是抒情,感情悲切,抑郁失望之情溢于言表。把握住这两点,本诗的情感基调就十分清楚了。前两句激情四射,格调高昂,吟诵时起调应该高昂,第一句的"三""河""东"三字都是在高音区游走,一下子就把情绪调动起来了。尤其是"东"字,在七言诗第五个字的位置上,又是平声,自然可以长吟。第二句的"千""摩"二字以及韵字都可以长吟,尤其是"摩天"二字,长吟才能把高入云端的"仞岳"表现出来。从第三句开始,诗人笔锋陡转,吟诵的语调、情感也随之发生变化。"遗民"二字要吟得低沉,表达对遗民的同情。"胡尘"二字的音高可适当高一些,"胡"字还应该长吟,意在提醒不要忘记金人的入侵。尾句的"又"字十分重要,但"又"是仄声字,不宜长吟,在这里,为抒发诗人内心的抑郁、苦闷和失望,以适当长吟为好。当然,韵字要长吟,把诗人对遗民的同情、对当局的不满都通过长吟表现出来。总之,这首诗的吟诵难度不大,关键是把握住情感的变化。

61 四时田园杂兴(七)[1]

(宋)范成大

昼出耘田夜绩麻，[2]
村庄儿女各当家。[3]
童孙未解供耕织，[4]
也傍桑阴学种瓜。[5]

四时田园杂兴(七)

(宋)范成大

昼出耘田/夜绩麻,
村庄/儿女各当家。
童孙/未解供耕织,
也傍桑阴/学种瓜。

作者介绍

范成大(1126—1193),南宋诗人。字致能,号石湖居士,苏州吴县(今江苏苏州)人。一生经历丰富,周知四方风土人情,多次任地方大吏,升迁到参知政事。曾出使金国,几乎被杀,写下一组使金绝句,记录了在沦陷区的见闻感受,描写了祖国北方山河破碎的景象,以及中原人民遭受蹂躏、盼望光复的情形,并凭吊了爱国志士,表示其誓死报国的决心。晚年因和宋孝宗不和而丢官,隐居石湖。其诗清丽精致,题材广泛,以田园诗居多,从多方面反映了农村的风光、农民的生活,有些诗亦尖锐地触碰到了农村黑暗的现实,表达了对农民的同情。

注释

[1]《四时田园杂兴》是范成大晚年退居家乡石湖养病时,把乡村生活中的见闻、感想随时吟成绝句而形成的组诗,都是七言绝句,分为春日、晚春、夏日、秋日、冬日四时五组,每组十二首,共计六十首。组诗生动亲切地反映了当时农家的风俗、景物、劳作、灾难等各种各样的生活场面。杂兴:随兴写来,没有固定题材的诗篇。

[2]昼:白天。耘田:锄草。绩麻:搓麻成线。

[3]村庄儿女:村里的人们。各当家:各司其事,各管一行,没有闲人。

[4]童孙:对小孩子的昵称。未解:不懂得。供:从事,参加。耕织:指代农业生产,耕田由男人来做,织布由妇女来做,古代叫男耕女织。

[5]傍:依傍。桑阴:桑树底下。

导读

这是《四时田园杂兴》组诗"夏日"诗其七。本诗像风俗画一样忠实地描绘了初夏时节农村劳动的繁忙:村里的人们早出晚归,白天冒着炎炎的烈日为庄稼锄草,晚上回来还要挑灯搓麻成线,纺线织布。宋代中国还没有棉花,富人穿戴缫丝织出的绫罗绸缎,穷人则穿粗布麻衣。村里面没有闲人,勤劳的人们各司其职、各安其事,好像他们从来如此。他们就是为劳动而生,劳动就是他们全部的生活,劳动就是他们的本能。如那幼稚可爱的小孩子,劳动本没有他们的事儿,可是他们好像天性里就熟悉农业劳动,他们尚不会耕田织布,没有下田干活,却也在那桑树的浓荫旁学种瓜。在这里,农村的劳动生活是那样质朴与本色,是那样自然而然,大人的劳动非常辛苦,小孩子的模仿充满了生趣,他们像辛勤的蜜蜂,忙忙碌碌,劳动着,收获着,似乎从来不知什么是懒惰。这首诗的语言至为淳朴通俗,像一个老农对农业生活充满亲昵的自述,有浓郁的生活气息。这种不着色彩、不用修饰的客观的白描、忠实的记录,发挥出了巨大的艺术力量,让人真切理解了什么是道家的"自然"主义。

吟诵提示

  这是一首仄起的七言绝句,按照吟诵格律诗的要求,各句吟诵停顿处是第一句的第四个字、第二句的第二个字、第三句的第二个字、第四句的第四个字以及韵字,简单地说就是"四二二四"及韵字。

  从内容上看,这是一首描写田园生活的诗作,真诚、自然、平淡是这首诗的情感基调。前两句仿佛是一位老农在向诗人讲述农家儿女的辛勤劳作,这些都是老人自己身边的事情,所以他像唠家常一样娓娓道来。在老人看来,种田绩麻、儿女当家都是很自然的事,这里没有什么抱怨,没有什么不满,所以吟诵时应该以平和的语调,款款吟来。第一句的"夜"虽然是仄声字,但它在第五个字的位置上,可以适当长吟,将农家儿女夜以继日的劳动情景表现出来。第二句的"当"字可适当长吟,强调农家儿女已经当家理业了。但由于紧邻着韵字"家",两个字都长吟显得节奏松散,所以"当"字长吟半拍即可,将长吟的任务还是交给韵字完成。第三句的"供"字很重要,又是在第五个字的位置上,可以适当长吟。尾句"傍""种"二字都是仄声字,"学"是入声字,都不能长吟,但这三个字都十分重要,反映了小孩子也想做点农活,但又不知道应该做什么的心态,可以用加重语气的方法,强调对小孩子的理解和赞同。

  总之,吟诵此诗心态要平和,语气要自然,不能有抱怨、不满的语气,这样才能将诗篇的内涵和意境表现出来。

62 四时田园杂兴(一)

(宋)范成大

梅子金黄杏子肥,[1]
麦花雪白菜花稀。[2]
日长篱落无人过,[3]
唯有蜻蜓蛱蝶飞。[4]

四时田园杂兴(一)

(宋)范成大

梅子金黄／杏子肥，
麦花／雪白菜花稀。
日长／篱落无人过，
唯有蜻蜓／蛱蝶飞。

注释

[1]梅子：梅树的果子，梅树为蔷薇科李属植物，亦称青梅、酸梅。肥：形容杏子长得个大肉厚。

[2]麦花：指荞麦花，白色，有的呈淡红色。菜花：油菜花，呈鲜黄色。农历四五月间落花结籽，所以说"稀"。

[3]日长：夏季渐深，白天渐长。篱落：篱笆墙，用竹子或木棍扎成的遮挡用的矮墙。

[4]蛱蝶：蝴蝶。

导读

范成大的《四时田园杂兴》组诗带有很强的时令性,他要对四时推移、节气变化、物候状况、自然、农村、农民等田园风物作忠实的记录。这首诗是其"夏日"诗其一,描述了农历四五月份的初夏情景。前两句是对这个时令的物候记录。在这个时节,梅子金黄,就要成熟了,绿叶难掩,惹人垂涎;杏子还差些,但个大肉厚,在枝叶间掩映,隐约可见,令人口角流酸。田野里,荞麦花开得正繁盛,大片大片的雪白色覆盖着原野,预示着一个喜人的好收成,而鲜黄的油菜花已过盛期,稀疏地点缀田间,刚显出快要成熟的静默与庄重。这一盛一衰、一雪白一疏黄等互相交织的强烈对比,形成了田野色彩明快的诗章。对仗的句式、生活化的语言,增强了诗味与情趣。诗人带着喜悦的心情客观地描述着初夏的自然变化,带着淡淡的兴致一样一样地在描述着这个时节的物候与人事。后两句看似写物,实写人事,仍置之于时令氛围中。夏日来了,白天变长,篱笆边不见行人路过,因为农忙,村里没有人闲着,农人们都下地干活了,空荡荡的村子变得特别宁静,长长的白天使这种宁静变得更长更久。但这种宁静并不沉闷,那在篱笆上来回自由翻飞的许多美丽的蜻蜓与蝴蝶点缀着宁静,显出盎然的生机和无限的生机活趣。这首诗的特色不在于以我观物、移情于物、物物皆带我之色彩,而在于忠实于物候随物生出的情趣。这种情趣非常丰富,表现了诗人以物观物的客观情致。这是范成大诗歌的一大特点。

吟诵提示

这是一首仄起的七言绝句,按照吟诵格律诗的要求,各句吟诵的停顿处是第一句的第四个字、第二句的第二个字、第三句的第二个字、第四句的第四个字以及韵字,简单地说就是"四二二四"及韵字。

这首优美的田园诗展开了一幅秀丽的场景:初夏时节,梅子金黄,杏子青青,麦花雪白,菜花稀疏,农民都在忙于耕作,唯有蜻蜓、蝴蝶飞来飞去。这是一幅多么优美的风景画啊!反映出诗人内心是多么恬淡、闲适,因此,悠闲喜悦是此诗的情感基调。吟诵此诗时,起调不宜过高,中等偏上即可,两个"子"字可以稍微高一些,使全句有所抑扬起伏。第二句的第一个"花"字在节奏点上,自然可以长吟;第二个"花"字也可以适当长吟,表现对麦花、菜花的喜爱。第三句的"长"字在节奏点上,自然应该长吟,而且只有通过长吟,才能表现出"日长"。"无"是平声字,又是在第五个字的位置上,除适当长吟外,还需要加强语气,表明男女老少都在忙于农活,没有一个闲人。尾句的"飞"字要特别注意,这个字吟活了,就能把蜻蜓、蝴蝶飞舞的景象表现出来。总之,吟诵此诗,心境要平和,态度要闲适,不必刻意考虑什么吟诵效果。

63 小池 [1]

（宋）杨万里

泉眼无声惜细流，[2]
树阴照水爱晴柔。[3]
小荷才露尖尖角，[4]
早有蜻蜓立上头。

小　池

（宋）杨万里

泉眼无声／惜细流，
树阴／照水爱晴柔。
小荷／才露尖尖角，
早有蜻蜓／立上头。

作者介绍

杨万里（1127—1206），南宋诗人。字廷秀，自号诚斋野客，吉水（今属江西）人。进士出身，曾任漳州等地地方官，做过东宫侍读。权臣韩侂胄当权，他家居十五年不出，忧愤国事而死。诗法早学江西诗派，晚学唐人，后师法自然，创立一种新鲜泼辣诗体，被称为"诚斋体"。诗作构思新颖奇特，善于刻画人物情态和捕捉瞬间情景。笔调活泼诙谐，语言浅近通俗，风格爽朗明快。以写景物见长。

注释

[1] 小池：小的池塘。

[2]泉眼:泉水的出口。惜:爱惜。

[3]晴柔:晴天柔和的风光。

[4]小荷:卷成小筒状尚未伸展开的嫩荷叶。

导读

本诗诗题"小池",从"小"着眼,写出了夏初的一角小景——宁静而又充满生机的荷池小泉,表现了诗人对自然充满情趣的瞬间感受。全诗写景。第一句从泉眼写起,泉眼是小池之根,一切皆从此生起。主写泉眼轻流、默无声息,衬托出小池之静;水流细小,好像泉眼十分珍惜点滴泉水,才让它无声细流,"惜"字写得情味十足。第二句写池边的绿树十分爱怜这晴天柔和的风光,把绿荫映照在水面上而留下绰约的倩影,"爱"字把情感写得浓浓的。前面都是静态的无生命之物,尚需灵动的生命来点缀。后两句写了相映成趣的小荷与蜻蜓,写得生趣盎然。嫩绿的小荷刚刚露出一个小小的头角,就被那眼尖的蜻蜓站了上去。"才""早"前后呼应,好像小荷之嫩角就是为蜻蜓歇脚准备的。总之,无声的泉眼、涓涓的细流、宁静的小池、柔和的风光、尖尖角的小荷、小小的蜻蜓,是那样和谐一致,是那样亲密协调,宛然构成了一幅"初夏荷池小泉图"。本诗语言浅近自然,清新活泼,写景如画,画景有情,生动可人。

吟诵提示

这是一首仄起的七言绝句,按照吟诵格律诗的规则,各句吟诵停顿处分别在第一句的第四个字、第二句的第二个字、第三句的第二个字、第四句的第四个字以及韵字,简单地说就是"四二二四"的节奏。

这首诗的总体格调清新平淡,活泼自然。初夏的风光,在诗人的笔下,一切都是那样的细,那样的柔,那样的富有情意,句句如画。第一句起调不宜太高,"无声"二字可稍微低一些,显示的确无声。"流"是韵字,应该长吟,音调可以适当放低,表现涓涓的泉水一直流淌。第二句的节奏点在"阴"字上,同样需要长吟、低声,表现泉水旁、树荫下特有的景色。吟诵"柔"字时要尽量婉转悠扬,以突出诗人对自然环境的喜爱,切不可生硬高亢。第三、第四两句是诗人叙述眼前发生的一件事情,不可分割,意似流水,要一气呵成。吟诵时除节奏点应该注意外,第一个"尖"字在第五个字的位置上,又是平声,应适当长吟,表现出诗人对才露出"尖尖角"的小荷发自内心的喜爱和欣赏。"蜻蜓"二字声音可适当放低,造成一种不要把蜻蜓惊跑的艺术效果。"立上"二字虽然是两仄声,一个是入声字,一个是去声字,但还是应延续"蜻蜓"二字的吟诵方法,轻声、缓慢,一个字一个字地吟,使听者回味无穷,愉快地感受这种美的意境。

64 晓出净慈寺送林子方[1]

(宋)杨万里

毕竟西湖六月中,[2]
风光不与四时同。[3]
接天莲叶无穷碧,[4]
映日荷花别样红。[5]

晓出净慈寺送林子方

（宋）杨万里

毕竟西湖／六月中，
风光／不与四时同。
接天／莲叶无穷碧，
映日荷花／别样红。

注释

[1]晓出：早晨出来。净慈寺：西湖边上的一个著名寺院，现在还存在。林子方：作者的朋友，曾经做过直阁秘书的官。

[2]毕竟：到底。

[3]四时：春、夏、秋、冬。

[4]接天莲叶无穷碧：看上去碧绿的荷叶无穷无尽，好像一直要连接到天边。

[5]别样：不一样，十分独特。

导读

这是诗人一大早送别朋友写的诗，是送别诗。朋友要到福建去做知州，地方上各方面条件当然不比京都，所以，作者即以充满豪情地赞赏西湖美景的方式，委婉表达了对朋友的挽留。第一句议论，起笔突兀，直抒胸臆，高调赞美六月的西湖风光独异，抢人视线、夺人心魂，"毕竟""不与"语气肯定，好像是作者在瞬间感受到了强大的美的冲击，脱口而出，不容质疑。这是议论，也是强烈情感的激情喷发，亦猛烈地激荡着、感染着读者的心灵。有了气势夺人的起笔，必有大气磅礴的下文才能相配。后两句宏阔壮美的景物描写没有辜负起句的宏大气势，更加升扬了诗歌的激情：与天边相接的荷叶绵延着无尽的碧绿，在粉红朝霞的映照下红艳艳的荷花点缀在无尽的绿叶之中，显示着非常别样的红色，大红大绿，互相辉映，在天地之间交织着、展铺着西湖的巨丽，震撼着读者的心灵，让读者回味着、认同着前文的激情称赞。在情感被激发的高处，诗戛然而止，余韵悠悠。这显然与苏轼将西湖比作柔美的西子，有着迥然不同的审美感受。这首诗基本是口语，但明白晓畅，清新自然，意境开阔，体现了诗人超脱的胸襟。

吟诵提示

这是一首仄起的七言绝句，按照吟诵格律诗的规则，各句吟诵的停顿处应该是第一句的第四个字、第二句的第二个字、第三句的第二个字、第四句的第四个字以及韵字，简单地说就是"四二二四"及韵字。

这是一首著名的写景诗，情感基调应该是轻松、自然、喜悦，吟诵时不需要情感的大起大落，以平和的心态吟诵最好。第一句要起得稍微高一些，以免后面的音调太低，影响吟诵的效果。"六""月"二字都是入声字，不宜长吟，应该一滑而过，重点放在"中"字上。"中"字在句尾，前一个字是入声字，因此完全可以长吟。第二句的"时"字是在第六个字的位置上，可以长吟,但"时"字与韵字"同"紧邻,因此不能吟得太长,按长吟的一半处理即可。第三句的"无"字是在第五个字的位置上,通过长吟,将碧叶连天的景色表现出来。尾句的"别"是入声字,"样"是去声字,都不宜长吟,但是这里必须将旭日下的荷花与其他时间的荷花区别开来,所以可适当长吟"样"字,突出诗人所要表达的诗意。总之,这首诗的吟诵并不难,关键是心态要平和,把诗人对西湖、荷花、荷叶由衷的喜爱表现出来,才算是达到吟诵的目的。

65 春日[1]

（宋）朱熹

胜日寻芳泗水滨，[2]
无边光景一时新。
等闲识得东风面，[3]
万紫千红总是春。[4]

春 日

(宋)朱熹

胜日寻芳／泗水滨，

无边／光景一时新。

等闲／识得东风面，

万紫千红／总是春。

作者介绍

朱熹(1130—1200)，南宋理学家、教育家、思想家。字元晦，一字仲晦，晚号晦翁，徽州婺源(今属江西)人，侨居建阳(今属福建)，闽学派的代表人物。他继承了北宋时期程颢、程颐的理学，认为"理"是世界的本质，万物必有其理，整个宇宙有宇宙之理，总万类之理，即太极。有理还不能形成事物，还必须有"气"，理落实在气中，就形成具体事物。有理，事物就有了性；有了气，事物才有其形。他要为万物以及人的一切行为寻找一个最高的理论根据。由此，他建立起其宏大的哲学体系，成为理学的宗师。在文学上，他以道学论文学，主张"文道一贯"，以义理为根本，文辞为末务。其诗成就亦较高。风格平淡自然，不事藻绘雕琢，清远高旷，淡雅精微。

注释

[1] 春日：春天。

[2] 胜日：原指节日或亲朋相会的日子，这里指风日晴和的日子。寻芳：踏青，春游，寻找美的景致。泗水：今山东济宁境内的一条河流，文化底蕴丰厚，风景秀美。孔子曾于泗水上感慨："逝者如斯夫，不舍昼夜！"泗，是孔子曾经讲学的地方。

[3] 等闲识得：容易识别。等闲，平常，轻易。东风面：春风的面貌。东风，春风。

[4] 万紫千红：形容春日里百花盛开，色彩绚丽。这个成语即来自朱熹的这首诗。总是春：一定是春天。

导读

朱熹是哲学家，他的许多诗歌都透着灵悟的哲思，浅近的诗意背后都有深刻的蕴含。此诗即是一首悟道的诗。表面上看来，是踏青寻春之作，他要在春光明媚、风和日丽的日子里在泗水边上寻找春天：一眼望去，无限风光好像焕然一新一样令人眼睛发亮。是什么将万物变得如此清新动人呢？是那虽然看不到但随处都能感受到的东风，即春风催生了万物的繁荣，催生了春天的无限生机，催生了万紫千红的美丽世界。美丽的春天是有形的，东风是无形的，而有形的绚丽世界却是来自无形的东风。朱熹并没有真正到泗水寻春，因为那时北方已被金人占据，他以到孔子曾经讲学的地方——泗水之滨寻春为喻，只是想告诉人们，现在学术上"百家争鸣"的兴旺，思想上"百花齐放"的繁盛，即这个思想、学术的春天，无不是孔子无形的精神东风的催发与点染形成的，他要人们感念伟大的圣人孔子这位至圣先师的无量功德，他才是中国思想的源头活水，滋养着后人的精神，使之焕发出无尽的春光。这首诗不是在枯燥地说理，而是寓哲理于生动的意象中，表现出勃勃生趣。

吟诵提示

这是一首仄起的七言绝句,按照吟诵格律诗的规则,各句吟诵的停顿处是第一句的第四个字、第二句的第二个字、第三句的第二个字、第四句的第四个字以及韵字,简单地说就是"四二二四"及韵字。

这是一首脍炙人口的写景诗,也是一首非常有名的哲理诗,吟诵时应该稍微带一点理性的味道。第一句起得中平即可,轻松地吟诵就能把诗人春游时的心情、神态表现出来。第二句的"边"字在节奏点上,自然应该长吟,长吟才能体现出"无边"的意蕴。"光"是平声字,可以长吟,而且"光景"在此句中地位十分重要。但这里有一个问题,"无""边""光"三个字都是平声字,"无"字可以不长吟,"光"字按正常长吟的一半吟出来,较为稳妥。第三句在节奏点上的"闲"字需要长吟,"东"是平声字,又是在第五个字的位置上,也需要长吟。尾句"总"是仄声字,不宜长吟,但这个字又非常重要,可以通过加重语气、提高声调的方法强调其重要性。应该注意的是,吟诵最后两句时,语速应当放慢,声调适当凝重,通过吟诵,表明诗人不仅仅是在欣赏自然的美景,还是在思考自然与社会的发展规律。

66 观书有感[1]

（宋）朱熹

半亩方塘一鉴开，[2]
天光云影共徘徊。[3]
问渠那得清如许？[4]
为有源头活水来。[5]

观书有感

(宋)朱熹

半亩方塘/一鉴开,
天光/云影共徘徊。
问渠/那得清如许?
为有源头/活水来。

注释

[1]观书有感:读书后的感受。

[2]方:方形。一鉴开:一面镜子被打开。鉴,镜子。开,古代的镜子都是铜镜,平时不用时都用镜袱盖着,用时才打开。

[3]天光云影:倒映在水中的蓝天白云的影子。徘徊:来回移动。

[4]渠:指方塘。那得:怎么会。那,通假字,通"哪"。清如许:清净如此。

[5]为有:因为有。

导读

朱熹是哲学家,哲学思考的一大目的就是追根溯源,找到事物的最后根据。诗的题目是"观书有感",是说朱熹读书时忽有所悟,寻找到了某种事理的最终原因,对它的来龙去脉豁然贯通,遂写下了此诗,以表达其思有所得的兴奋与喜悦。这首诗是先有观书之"感",即诗的主"意",即读书悟道的过程,然后再以巧妙的比喻与诗情,将这种读书悟道的过程表述出来。这个巧妙的喻体就是这个明净如镜的池塘。这首诗前两句描述了方塘的美好,写它平静、明净,正因为如此,所以能清晰、生动地映现出游移不定的美丽的天光云影,这一切美好景象的形成,全在于池塘之水的清澈洁净,而池水的清澈洁净则因其有源头活水送达。源头如果是死水,则生息全无。所以,世界的丰富与美好是现象,形成这种现象的根据,是在那看不见的世界的背后,它是隐匿的。就像池塘风景,我们常常欣赏池塘倒影的美丽,却较少有人去想形成这种美丽风景的原因在于那清澈而平静的池水,更少有人想到形成清澈平静池塘的源头活水。这首诗将抽象的道理寓于生动形象的描述中,使晦涩的道理变得浅近明白,趣意盎然。

吟诵提示

这是一首仄起的七言绝句,按照吟诵格律诗的要求,各句吟诵的停顿处是第一句的第四个字、第二句的第二个字、第三句的第二个字、第四句的第四个字以及韵字,简单地说就是"四二二四"及韵字。

这是一首优美的写景诗,也是一首著名的哲理诗,诗人在轻松、充满诗意的文化氛围中,讲述了一个令人深思的哲理。吟诵此诗时,前两句应该尽量轻松、自然。在这两句中,第二句更为重要,吟诵时也要特别注意。除在节奏点上的"光"字和韵字"徊"必须长吟外,"云""徘"二字也应该适当长吟,通过长吟,将天光水影都表现出来。后两句极具哲理性,吟诵时应该适当放得缓慢一些,语气凝重一些,尤其是"清"字必须长吟。"清"字不仅是平声字,而且是此句的核心字,通过长吟表达强调之意。"源头"二字都是平声字,是诗人所要强调的地方,所以都可以长吟,但如果这两个字都长吟则节奏显得过于缓慢,"头"字在节奏点上,还是长吟"头"字为好。"活"是入声字,尽管十分重要,也不能长吟,只能用适当加重语气的方法表示强调。总之,这首诗吟诵的难度不是很大,关键是要把握住诗人通过诗篇所要表达的哲理,所以吟诵时应该有所思考才行。

67 题临安邸[1]

（宋）林升

山外青山楼外楼，
西湖歌舞几时休？[2]
暖风熏得游人醉，[3]
直把杭州作汴州。[4]

题临安邸

(宋)林升

山外青山／楼外楼,
○●　○○　　○●　△

西湖／歌舞几时休?
○○　　○●　●○　△

暖风／熏得游人醉,
●○　　○●　○○　●

直把杭州／作汴州。
●●　○○　　●●　△

作者介绍

林升(生卒年不详),南宋士人,生平事迹不详。《西湖游览志馀》录其诗一首,即《题临安邸》。

注释

[1]题临安邸:在临安的旅店里题诗。临安,南宋的都城。邸,旅店。

[2]休:罢休,停止。

[3]暖风:双关语,一是指温暖的春风,二是指歌舞浮靡之风。熏:原指用烟和气味包围渗透,这里指洋洋暖意令人迷醉。游人:这里不是指一般的游人,特指南宋那些腐化堕落、醉生梦死的达官显贵。

[4]杭州：宋南渡的都城，即南宋的都城。汴州：宋原来的都城开封。

导读

南宋朝廷，偏安江南一角，忘掉了靖康时被掳的徽宗、钦宗的耻辱，忘掉了北方的半壁山河，忘掉了北方遭受金人奴役的子民，腐化堕落，苟且偷安，得过且过。看到这种景象，一介寒士林升愤恨不平，于旅店墙上题诗，对达官贵人的荒淫行为进行了辛辣的讽刺。这首诗第一句"山外青山楼外楼"看似写景，实是叙述，它描述生活在都城的达官显贵在半壁山河沦落的国难中，不思收复，却像没事似的山外寻山、楼外觅楼，无休止地游览湖山名胜。第二句描述了达官显贵没日没夜地听歌赏舞，无休止地寻欢作乐，以一句有力的疑问表达了对他们无尽的糜烂生活的愤怒。后两句激愤地讽刺了南宋统治阶级醉生梦死，不知羞耻。他们被虚假的繁华与歌舞升平所迷惑，弄得神魂颠倒，不知东西南北，简直要把杭州当成他们的老家——汴州。这首诗直指统治者忘记国难，忘记耻辱，令人愤怒，令人心痛。这首诗边叙边议，叙议中抒情，感人至深，激人义愤。

吟诵提示

这是一首仄起的七言绝句，按照吟诵格律诗的要求，吟诵各句时停顿处应该是第一句的第四个字、第二句的第二个字、第三句的第二个字、第四句的第四个字以及韵字，简单地说就是"四二二四"及韵字。

这是一首政治讽刺诗。诗人看到统治集团苟且偷安，不思进取，满足于轻歌曼舞的享受，忘却了金人正虎视眈眈觊觎着江南，忘却了靖康奇耻大辱，忧患萌生于心中，感伤发于笔端，才有了此诗。因此，感伤、抑郁、忧愁是本诗的情感基调。吟诵此诗，不必刻意表现得激昂愤慨，更不能作高兴愉悦状，应该以缓慢的节奏、稍微低沉的语调，将感情宣泄出来。第一句两个"楼"字要特别注意，"楼"是平声字，而且一个在第五个字的位置上，一个是韵字，都可以长吟。我们在这里长吟，可以突出"楼"的背后是统治者的贪图享受，是统治者的穷奢极欲，从而奠定吟诵的基调。第二句吟诵时要注意"几时"二字，要把诗人对这种现状的不满吟出来，还要把诗人希望尽快结束这种状态的急切心理表现出来。吟诵第三句时，要更轻一些，"熏"字可以适当长吟，"醉"字虽然在句尾，但此处不能长吟，仿佛是暖风真的吹在游人的身上，吹得游人暖洋洋的，什么也不想做、不想说。最后一句，重点在杭州、汴州，这是诗人要表达的主题，两个"州"字自然应该长吟。难点在"作"字。"作"是入声字，入声字不能长吟，但这个字又非常重要，可以采用加重语气的方法，表明把杭州当作汴州的后果不堪设想。通过这样的吟诵，才可以把诗人对现实的不满、对未来的忧虑表现出来。

68 游园不值[1]

(宋)叶绍翁

应怜屐齿印苍苔,[2]
小扣柴扉久不开。[3]
春色满园关不住,
一枝红杏出墙来。

游园不值

(宋)叶绍翁

应怜／屐齿印苍苔，
小扣柴扉／久不开。
春色满园／关不住，
一枝／红杏出墙来。

作者介绍

叶绍翁(约1194—?)，宋代文学家、诗人。字嗣宗，号靖逸，祖籍建安(今属福建)，自署龙泉(今属浙江)人。光宗、宁宗间曾在朝廷任小官，曾长期隐居钱塘一带。他的诗以七言绝句最佳。

注释

[1]游园不值：去游赏朋友的园子，朋友却不在家，这里是说没能进门。不值，没赶上主人在家。

[2]应怜：应该爱惜。屐齿：木鞋两头防滑的突出部分。古代穿的木底鞋子，叫木屐。印：踩踏上去留下痕迹。苍苔：青苔。

[3]小扣:轻轻地敲。柴扉:用枝条编织的简陋的门。

导读

诗人写了一次游园不成却获得意外惊喜的有趣经历。第一句从揣测园子主人的心意写起。按道理讲,诗人应该写成"小扣柴扉久不开,应怜屐齿印苍苔",但诗人却倒果为因地写成了"应怜屐齿印苍苔,小扣柴扉久不开"。这是他轻轻地敲了半天门,无人应答,对主人的心意非常肯定地作出的判断,他确信主人是怜惜园中的青苔怕人踩踏,留下印痕,不愿开门。这样倒着写,还表达了诗人遭遇主人如此慢待心中产生了稍许的扫兴与落寞,略略显示出对小气的主人的不快。然而心态愉悦的诗人非常能"转"境,转扫兴为高兴,诗歌活的"转"法正是来自生活情境的转换。盎然的春景正是这转的契机。后两句"春色满园关不住,一枝红杏出墙来",是说虽然"万紫千红总是春"会让人欣赏得过瘾,然而在渴望中邂逅的一枝红杏,也能顶得过盛开的满园百花。这句既写出了诗人于游园的不爽中忽见杏花出墙的惊喜,也表达了对不愿与人共享小园之美的小气主人关不住满园春色的坏坏的得意:园子的美景,你不让人看,它自己伸展到墙外了,枉费心机!这首诗纯用白描,清丽如画,那一枝出墙的红杏成了一个永恒的美的象征,也成了一个被别解的充满理趣的名言。

吟诵提示

这是一首平起的七言绝句,按照吟诵格律诗的要求,各句吟诵停顿处是第一句的第二个字、第二句的第四个字、第三句的第四个字、第四句的第二个字以及韵字,简单地说就是"二四四二"及韵字。

诗篇格调轻柔明快,略微带有一点调侃的味道。第一句的"怜"字在节奏点上,应该长吟,显示爱惜青苔之意,为后面没有进入园里作铺垫;韵字"苔"也要长吟,与"怜"字呼应,显示园中的宁静。第二句的"扉"字要长吟,仿佛敲门的时间略长;"久"字是仄声字,本来不宜长吟,为了显示叩门的时间长,可以适当长吟半拍;韵字"开"要长吟,表现略有遗憾之意。第三句的"园"字要长吟,表示满园充满了明媚春色;"关"字在第五个字的位置上,又是平声,不仅应该适当长吟,而且语气要略重一点,表达的意思是相反的,就是满园的春色是"关不住"的。第四句的"枝"字要长吟,表示心情由扫兴转为欣慰,由出墙的一枝红杏想象美好的满园春色,"出墙来"三字声音略高一点,长吟韵字"来",以突出意外的惊喜,并有一丝暗暗窃喜的味道:你不让我入园欣赏春色,我还是看到了。所以吟诵最后一句,一定要放松,略微带有一丝调侃的味道。"屐""不""色""一""出"都是入声字,音要短促,出口即收,不可拖长。三个韵字"苔""开""来"的音要比"二四四二"节奏点的平声字略长一些。

69 乡村四月[1]

(宋)翁卷

绿遍山原白满川[2],
子规声里雨如烟[3]。
乡村四月闲人少,
才了蚕桑又插田[4]。

乡村四月

(宋) 翁卷

绿遍山原/白满川,
● ● ○ ○ ● ● △

子规/声里雨如烟。
● ○ ● ● ● ○ △

乡村/四月闲人少,
○ ○ ● ● ○ ○ ●

才了蚕桑/又插田。
○ ● ○ ○ ● ● △

作者介绍

翁卷(生卒年不详),南宋诗人。字续古,一字灵舒,温州乐清(今属浙江)人,以布衣终。与当时的徐照、徐玑、赵师秀同出叶适门下,并称"永嘉四灵"。诗法反对江西派,推崇晚唐,偏好姚合、贾岛等人。写法重白描、轻用事,重景联、轻意联,刻意雕琢。

注释

[1]乡村四月:是初夏的时令,这是乡村农活最忙的时候。

[2]川:河流。这句写雨中景色,广阔的高原一片碧绿,河水映着天光,一片白亮。

[3]子规:杜鹃鸟。雨如烟:黄梅时节,细雨蒙蒙,如烟如雾。

[4]了:做完。插田:插秧。

导读

　　这首诗以白描的方式描绘了江南水乡初夏的田园景象。第一句境界开阔,写了广阔的山野葱郁碧绿,树木、庄稼繁荣茂盛,一派欣欣向荣,碧绿的山野交织着条条白亮亮的河流、块块整整齐齐的稻田,构成了一幅亮丽的水乡风俗画。第二句是最富诗意的一句,远近树上子规虚灵空荡的叫声交融于整个乡野的雨烟云雾,将前句的实景虚化,使之变得缥缈迷蒙,增加了画图的音响,使人如闻其声,又增加了朦胧之美。前面是景物的描写,是风俗画就必须配上人的活动。后两句以极其简括的笔法描写了乡村的人们初夏的繁忙。四月的乡村农活正忙,没有人闲得住,人们刚刚养完了桑蚕,又忙着去水田里插秧,农人忙碌的生活增加了画面的勃勃生机。这首诗笔法纯用白描,不着浓墨,简洁生动,语言通俗,清新自然。

吟诵提示

　　这是一首仄起的七言绝句,按照吟诵格律诗的要求,各句吟诵的停顿处是第一句的第四个字、第二句的第二个字、第三句的第二个字、第四句的第四个字以及韵字,简单地说就是"四二二四"及韵字。

　　这是一首反映农村生活的诗作,既描写了质朴自然的农村风光,也表现了繁忙的农事生活,感情发展随内容的变化由轻松、自然、喜悦逐步变为诚挚、敬重。前两句是写景,起调可以适当偏高一些,把诗人对美丽自然风光的喜悦之情表现出来。"满"虽然是仄声字,亦应适当长吟,才能将夏雨注满河川的场景表现出来;长吟"声"字才能将子规的鸣啼声表现出来;长吟"如"字才能将初夏烟雨如织的美景表现出来。吟诵此二句,语速可以适当放慢,把诗人悠闲地欣赏自然美景的心情表现出来。后两句写农事的繁忙,语速应该适当放快,要通过吟诵把诗人对农事的熟稔、对农民的敬重表现出来,语气应该诚挚、敬重。第三句除节奏点上的"村"字应该长吟外,"闲"是平声字,又是在第五个字的位置上,也可以适当长吟。尾句除节奏点上的"桑"字及韵字必须长吟外,其余的字都不宜长吟,这也客观地促使了语速的加快。总之,吟诵这首诗并不难,只要把握住诗人情感的变化,就能吟诵好此诗。

70 墨梅[1]

（元）王冕

吾家洗砚池头树，[2]
朵朵花开淡墨痕。[3]
不要人夸好颜色，
只留清气满乾坤。[4]

墨 梅

(元)王冕

吾家/洗砚池头树,
朵朵花开/淡墨痕。
不要人夸/好颜色,
只留/清气满乾坤。

作者介绍

王冕(1287—1359),元代著名画家、诗人,以画梅著称。字元章,号煮石山农,诸暨(今属浙江)人。考进士不中,漫游吴楚,北游大都,晚年居住在浙江东部,以卖画为生。他轻视功名利禄,不甘随俗浮沉,追求清雅高洁的人格。诗风也像其人品,朴直豪放,长于咏梅诗。

注释

[1]墨梅:水墨画的梅花。
[2]树:梅树。
[3]淡墨:水墨画,墨分五色,有清、淡、浓、焦、重。痕:痕迹。

[4]清气:清高的气节。乾坤:天地间,《周易》中有乾为天,坤为地。

导读

　　这是一首题画诗。诗中所描写的墨梅劲秀芬芳、卓然不群,不仅反映了王冕所画梅花的风格,也反映了他的高尚情趣和淡泊名利的胸襟。第一、第二两句构思精巧,将画中墨梅与池边梅树化而为一,仿佛画中之梅的淡淡墨晕,为池头梅树吸收水中墨色所致。第一句巧用"洗砚池"的典故,不仅写出自己勤于练习画作,而且让人们自然地联想到诗人具有像王献之一样的文学修养和高尚品格,将画上的梅树与现实中的"洗砚池"放在一起,形成一种错落的美感,赋予画面上的梅树以生机。王冕似乎觉得这样还不能够表现他所画梅花的独特性,强调"朵朵花开淡墨痕",如果说"淡墨痕"是为了照应题画诗的主题的话,那"朵朵花开"则很好地描绘了梅花的姿态,两者放在一起,再一次形成了错落的感觉,"朵朵花开"本应是真实的感受,画出的墨梅本应是有墨痕的,但是诗人这一强调,似乎让人们感觉到墨梅也具有了生命,每一个怒放的花朵都是一个卓尔不群的个体,都是那么真骨凌霜、高风脱俗。第三、第四句则宕开一笔,赞赏墨梅虽无耀人眼目的色彩,却极富清新高雅之气,以此表达诗人不愿媚俗的独立人格理想。第三句用拟人手法,诗人似乎将自己化身为笔下的墨梅,睥睨着污浊的世间,完全不期待、不在意别人的溢美之词,只是希望能够在天地之间留下"清气"。最后一句铿锵有力,诗人将自己的意志融于笔下的墨梅之中,以义无反顾的姿态发出"只留清气满乾坤"的呼号。全诗以画作真,诗情画意融合无间,意蕴深邃,耐人寻味,洵为题画诗中的上乘之作。

吟诵提示

　　这是一首平起的七言绝句,按照吟诵格律诗的要求,各句吟诵的停顿处是第一句的第二个字、第二句的第四个字、第三句的第四个字、第四句的第二个字以及韵字,简单地说就是"二四四二"及韵字。

  这首题画诗清新儒雅,超尘拔俗,甚得梅花之精神。第一句"家"字长吟,点明是"我"家,有点自豪的感觉;"头"字是平声,但不是韵脚,可适当长吟,意在点出树的位置,也显示诗人对梅花的喜爱。第二句"开""痕"两字长吟,吟诵这一句要轻柔一些。现实中梅花的色彩是鲜艳的,诗人只用墨来画梅,淡淡的墨香让诗人自我陶醉。第三句"夸"字长吟,是在强调不要人家来夸的意思;"好颜色",仄平仄,是特殊的变格,本来应该是平仄仄,所以"颜"字稍长吟即可。这一句一语双关,也是诗人的自我写照,表现了诗人洁身自好,不肯随流同俗。末句"留"字长吟,"满"字重读,强调浩然正气充满天地之间;"坤"字长吟,表现诗人的清高品格和不俗气节。

71 石灰吟[1]

（明）于谦

千锤万凿出深山，[2]
烈火焚烧若等闲。[3]
粉骨碎身浑不怕，[4]
要留清白在人间。[5]

石灰吟

（明）于谦

千锤／万凿出深山，
○　○　●　●　●　○　△

烈火焚烧／若等闲。
●　●　○　○　○　△

粉骨碎身／浑不怕，
●　●　●　○　○　●

要留／清白在人间。
●　○　○　●　●　○　△

作者介绍

于谦(1398—1457)，明朝重臣，钱塘(今浙江杭州)人。字廷益，号节庵，永乐进士。曾随宣宗镇压汉王朱高煦之叛。"土木之变"发生后，他率军抵抗，取得胜利。多年的为官生涯中，他清正廉明，兴利除弊，刚正不阿，后遭人诬毁，被杀。

注释

[1] 吟：古典诗歌的一种名称。

[2] 千锤万凿：形容生产石灰开凿山石的艰难。

[3] 若等闲：视若平常，很轻松。

[4]浑不怕:一点儿也不怕。
[5]清白:正直高洁的品质。

导读

这是一首托物言志的诗。本诗看似咏物,实是作者自咏其志,即以石灰生产的艰难过程为喻,表明人的品质的形成就像石灰的形成,要经受千锤万凿的敲打,要经过深山旅途艰难的磨炼,更要经过烈火的焚烧,才能形成其清白高洁的品节,唯其难能,才显可贵,人间正气的形成正是如此。"千锤万凿"表现了作者不怕艰难险阻;"若等闲"表现了作者对痛苦磨难的藐视;"浑不怕"表现了他不怕牺牲的精神;最后一个"要"字,收束上文,坚定地表明其人生的态度与目的,就是要为人间留下浩然的正气,留下清白高洁的品质,反映了作者敢于为高尚节操而死的坚强与无畏。这首诗以物喻志,立意崇高,构思新颖,成为千古名篇。

吟诵提示

这是一首平起的七言绝句,按照吟诵格律诗的要求,各句吟诵停顿处是第一句的第二个字、第二句的第四个字、第三句的第四个字、第四句的第二个字以及韵字,简单地说就是"二四四二"及韵字。

这是一首托物言志的诗,总体格调坚定、沉稳,语速较慢。第一句"千锤万凿出深山"是形容开采石灰石很不容易,节奏点在"锤"字上,自然可以长吟;"锤"字长吟,"凿"字就不要长吟了,况且"凿"是入声字,不宜长吟;"深"是平声字,可以适当长吟,表示石灰开采的不容易。第二句"烈火焚烧若等闲"句的节奏点在"烧"字上,此处长吟表示成材之艰难,同时可以换口气,为吟诵后面"若等闲"做准备。"若等闲"三字不仅是在写烧炼石灰,还象征着志士仁人无论面临怎样严峻的考验,都从容不迫,视若等闲。吟诵时,"若等"一为入声字,一为上声字,不宜长吟,只能重读,而把长吟的任务都放在韵字"闲"字上。第三句中"粉骨碎身"形象地写出了将石灰石烧成石灰粉的过程,"浑不怕"三字不禁使人想到不怕牺牲的精神。"浑"是平声字,又是在第五个字的位置上,可以适当长吟和重读,把诗人那种坚定的信念都表现出来。最后一句"要留清白在人间"更是诗人直抒情怀,立志要做纯洁清白的人。"浑不怕"和"在人间"分别短吟和长吟,形成对比,给读者留下想象空间,表现诗人的高尚品格。

总之,吟诵此诗,在遵守吟诵基本原则的前提下,一定要把握住诗人的情感基调,把坚定、沉稳、富有自信的感情表现出来,就达到吟诵的目的了,切忌用轻松、欢愉的语气。

72 竹石[1]

（清）郑燮

咬定青山不放松，[2]
立根原在破岩中。[3]
千磨万击还坚劲，[4]
任尔东西南北风。[5]

竹 石

(清)郑燮

咬定青山／不放松，
立根／原在破岩中。
千磨／万击还坚劲，
任尔东西／南北风。

作者介绍

郑燮(1693—1765)，清代著名画家、文学家。字克柔，号板桥，江苏兴化人。"扬州八怪"之首，以画竹著名，其诗、书、画世称"三绝"。乾隆年间进士，曾任范县、潍县知县，为官清廉正直，关心民生疾苦。晚年在扬州以卖画为生，穷困潦倒。诗文真挚自然，朴实流畅。

注释

[1]竹石：指《竹石图》。
[2]咬定：形容竹子扎根石中，非常结实，像咬住了石头一样。
[3]破岩：碎裂的岩石。
[4]千磨万击：形容艰苦的磨炼。坚劲(旧读 jìng)：坚挺劲直。

[5]任尔:任凭你。

导读

　　这是一首题画咏物的诗。中国古代文人画,画意诗情,大都有所寄托。本诗即借咏竹歌颂竹子坚韧不屈、顽强执着的优秀品质。第一句用"咬定"一词写出了竹子扎根于青山岩石的倔强情态。第二句写它扎根之处条件的贫瘠与恶劣,根下无土可恃,都是破碎的乱石,表现竹子不择地而生,不畏艰难、不怕吃苦的精神。在这样艰难的环境中深根固本,还要迎接更大的磨难与挑战,任凭东西南北恶风的狂吹,立定脚跟,坚持着自己的信念操守决不动摇,表现了竹子生命的无畏与顽强。本诗托物言志,实是作者表达自己不畏磨难、坚韧不拔的乐观人生态度。本诗明白易懂,通俗晓畅,没有采用什么动人的文采和奇妙的技巧,却因表现一种可贵的精神而受到人们的普遍喜爱,被广为传诵。

吟诵提示

　　这是一首仄起的七言绝句,按照吟诵格律诗的要求,各句吟诵的停顿处是第一句的第四个字、第二句的第二个字、第三句的第二个字、第四句的第四个字以及韵字,简单地说就是"四二二四"及韵字。

　　这首题画诗正气凛然,描写竹子的坚韧不拔,甚得竹之精神。也可以说是一首言志诗,语言浅近而寓意深远。第一句"定""不"二字要重读,意在表明决心;"山""松"二字要长吟,把竹子傲然挺立的气势表现出来。第二句"根"字长吟,意在强调;"破"字是诗人寄情较深之处,要重读;"中"是韵字,自然要长吟,表现竹子生长环境的艰苦。第三句"磨"字长吟,"坚"字适当长吟,表现竹子坚强不屈的优秀品质。末句"西""风"二字要长吟,"南"字在第五个字的位置上,可适当重读,表现竹子宁折不弯的高贵品格,象征诗人不与黑暗势力同流合污的铮铮傲骨。吟诵这首诗,感情基调要高昂、豪迈,这才与诗的意境相符。

73 所见

(清)袁枚

牧童骑黄牛,[1]
歌声振林樾。[2]
意欲捕鸣蝉,[3]
忽然闭口立。

所 见

（清）袁枚

牧童 / 骑黄牛，
歌声振林 / 樾。
意欲捕鸣 / 蝉，
忽然 / 闭口立。

作者介绍

袁枚（1716—1798），清代诗人，字子才，号简斋，又作存斋，世称随园先生，晚年自号仓山居士。钱塘（今杭州）人。乾隆年间进士，入翰林院，曾多次出任地方官。晚年告病辞官，住在南京（今属江苏）随园。袁枚思想通达，才情过人，处世圆滑，生活放浪，写诗主张表达性灵，抒写真情实感。其诗多写个人闲情逸致，较少关心现实。所著《随园诗话》流传较广。

注释

[1] 牧童：放牧的小孩子。
[2] 林樾：路边成荫的树。

[3]意欲:想要。蝉:知了。

导读

这首诗捕捉到牧童这生动的一个瞬间,将之定格为一幅充满情趣的图画。第一句"牧童""黄牛",本就是古代文人画入画的题材,本就是天然和谐的一对:慢悠悠的老成持重的黄牛,带着牧笛的小孩子。这一对老幼,一个好静,只管吃草,走路;一个好动,见什么都新鲜,见什么都感兴趣。小的还想挥挥鞭子管管老的。这才是生动有趣的一对,在矛盾中充满着和谐,在其交流中体现着情趣。第二句写牧童的歌声。牧童在牛背上晃晃悠悠,不知遇到了什么令他高兴的事,突然唱起歌来,歌声回旋,激荡着沿途的林荫,表现了牧童悠然自得的忘我兴致。可是,他的歌声虽穿越林荫,却被树上更高更远的蝉声所夺去。他看到了那正在得意鸣叫的可爱的小知了,忽然生出要捉住它的念头,于是歌声戛然而止,闭口而立,瞪大了眼睛盯着那小东西。牧童有没有捕到小知了,那不必计较,可是这一瞬的确是生动有趣。本诗活脱脱地画出了牧童天真烂漫、悠然自得的神情,表现了儿童对什么都充满兴趣的自然天性。白描的手法写景如画,不加修饰地客观地再现了有趣的情境,诗中由动而静、由有声而无声的陡然一"转",更好地表现了儿童的活泼多事、随心所欲的率真性格,收到很好的艺术效果。

吟诵提示

这是一首五言古诗,也称五言古绝。古体诗押韵比较宽泛,本诗写儿童的心理和行为,颇有儿歌的色彩,押韵就更为宽泛了。"樾"字是入声月韵,"立"字是入声辑韵,本来不属于一个韵部,但也许按作者所生活的江南地区方言讲,也能说是押韵的。根据平仄要求,各句吟诵停顿处是第一句的第二个字、第二句的第四个字、第三句的第四个字、第四句的第二个字以及韵字。本诗吟诵停顿处虽然与五言平起绝句一样,也是"二四四二"及韵字,但不能把本诗看作格律诗，因为本诗用韵不符合格律诗的要求，而且第一、第二两句不是律句，所以这不是一首格律诗，而是一首古体诗。

  这首诗截取了牧童放牛时发现知了、意欲捕捉知了这一瞬间的情景，充满了生活气息，充满了童真。第一句的"童"字在节奏点上，自然可以长吟。"骑"字在五言诗第三个字的位置上，又是平声字，也可以适当长吟，通过长吟可以将牧童骑在牛背上悠哉游哉的情景表现出来。"黄"虽然也是平声字，但是前面两个字都长吟了，此处就不宜长吟。"牛"是平声字，又在句尾，可以适当长吟。第二句的"歌声"二字都是平声字，可以适当长吟，并加重语气，提高声调，表示重视，也为后面的"闭口"做好铺垫。"林"字在节奏点上，可以长吟，通过长吟，将悠扬的歌声在林中飘荡的情景表现出来。"樾"是入声字，本来不宜长吟，但"樾"是韵字，所以也可以适当长吟，表明这是一句的结尾。第三、第四句是写牧童发现了一只知了，意欲捕捉知了故不唱歌了。吟诵此二句时，声音可以适当放轻，语速可以适当放慢。"鸣"字在节奏点上，可以长吟。"蝉"是平声字，又在句尾，自然可以长吟。尾句除了节奏点上的"然"字和韵字"立"可以长吟外，"闭口"二字也要注意，此二字都是仄声字，不宜长吟，但要表现出"忽然闭口立"的意境，可适当放轻、放慢，仿佛是吟者也怕吓跑了知了一样。总之，这首诗由于是古体诗，吟诵起来有一定的难度，但我们只要把握住诗人的感情脉络，按照平仄的要求，还是可以吟诵出理想效果的。

74 村居[1]

（清）高鼎

草长莺飞二月天，[2]
拂堤杨柳醉春烟。[3]
儿童散学归来早，
忙趁东风放纸鸢。[4]

村　居

（清）高鼎

草长莺飞／二月天，
● ● ○ ○ ● ● △

拂堤／杨柳醉春烟。
● ○ ○ ○ ● ○ △

儿童／散学归来早，
○ ○ ○ ○ ○ ○ ●

忙趁东风／放纸鸢。
○ ● ○ ○ ● ● △

作者介绍

高鼎（生卒年不详），大约生活在咸丰年间，清末诗人。字象一、拙吾，浙江仁和（今杭州）人。其诗善于描写自然景物。有《拙吾诗稿》存世。

注释

[1] 村居：生活在乡村。

[2] 草长莺飞：来自南朝梁丘迟《与陈伯之书》："暮春三月，江南草长，杂花生树，群莺乱飞。"后来多用之形容江南春天的美好景色。这是仲春二月最典型的风景，田野青青，黄鹂初至，飞舞鸣叫。

[3] 拂堤杨柳：长长的杨柳枝在微风的吹拂下，好像要抚摸高高的堤

岸。醉春烟:迷醉在春天迷蒙的烟雾中。

[4]鸢:老鹰。纸鸢:风筝。

导读

这首诗截取了春天乡村生活的一个画面,描绘了乡村春天的美丽与勃勃生机。前两句写景如画,二月仲春,春意正浓,田野里青草疯长,绿树间新莺飞鸣;长长的杨柳枝在微风中轻摇柔姿,抚弄着堤岸,沉醉在那迷蒙的烟雾中。"拂"字活画了杨柳枝条的娇柔;"醉"字表现了杨柳枝条的妩媚;"春烟"烘托了杨柳枝条那迷离的醉态,把春天写得令人心醉。在这美丽的春天里,村里的孩子散学后早早归来,好像他们也赶着春天的趟儿,凑着春的热闹,乘着和煦的东风,欢快地跑着、叫着、嬉戏着放飞风筝,为新春平添了无尽的生机,使画面更加新鲜活泼,充满浓郁的生活情趣。这首诗是对乡村春天忠实的记录,洋溢着作者对美丽的乡村春天的喜悦与热爱。

吟诵提示

这是一首仄起的七言绝句,按照吟诵格律诗的要求,各句吟诵的停顿处是第一句的第四个字、第二句的第二个字、第三句的第二个字、第四句的第四个字以及韵字,简单地说就是"四二二四"及韵字。

这是一首充满童趣的写景诗,情感基调是欢快、喜悦,充满了勃勃生机,因此语速不宜太慢,以中等偏快为宜。第一句自然是在"飞"字处长吟,造成一种动感,把"莺飞"的意象表现出来。第二句"堤"字在节奏点上,"烟"是韵字,自然都可以长吟;此外,"杨""春"二字也可以长吟。此句七个字中有四个字可以长吟,节奏自然就慢了下来。缓慢的节奏完全符合诗人闲适的心态和喜悦的心情,我们可以感受到早春二月时诗人漫步在河堤旁,享受春光的惬意神态。如果说前两句是早春的静态描写,后两句则为寂静的乡村增添了几分活力。吟诵时节奏可以适当快一些,除节奏点上的字及韵字外,"来"字也可以长吟。"放"是仄声字,不宜长吟,但这个字非常重要,反映了儿童天真、活泼、爱玩的天性,所以可以适当长吟,并适当加重语气,提升声调,表示重视。总之,吟诵这首诗难度不大,掌握好诗人写作此诗时的心态,就能吟诵好此诗。

75 己亥杂诗[1]

（清）龚自珍

九州生气恃风雷[2]，
万马齐喑究可哀[3]。
我劝天公重抖擞[4]，
不拘一格降人才[5]。

己亥杂诗

(清)龚自珍

九州/生气恃风雷,

万马齐喑/究可哀。

我劝天公/重抖擞,

不拘/一格降人才。

作者介绍

龚自珍(1792—1841),清代著名诗人,中国近代杰出的启蒙思想家、著名学者。又名巩祚,字璱人,号定庵,浙江仁和(今杭州)人。他思想犀利,敢于直言,二十七岁中举后,因触犯时忌,参加会试屡次不中,直到三十八岁才中进士。他虽才华横溢,但一生只任一些小官,高超的政治见解根本得不到重视,遂辞职回杭州。他目睹清王朝的昏庸,不满政府的腐败专制,积极主张社会变革,是近代改良主义的先驱。他的诗歌关注现实,含蓄深邃,同时又感情激越,气势磅礴,具有浪漫主义色彩。

注释

[1]《己亥杂诗》是龚自珍创作的组诗。己亥为清道光十九年(1839),作者四十八岁,因厌恶官场,辞职返杭。在往返京、杭的途中,写下了该组诗,皆为七绝,共三百一十五首,总题《己亥杂诗》,题材涉及其平生出处、著述、交游等。

[2]九州:先秦时期的人把当时的中国划分为九个区域,后即用以代指中国。生气:蓬勃生动的气象。恃:依靠。

[3]万马齐喑:比喻在清王朝统治之下,人民思想受控制,言论不自由,整个中国一片死气沉沉的政治状况。喑,哑、沉默。

[4]天公:玉皇大帝之类的天神,这里实指清王朝最高统治者。抖擞:振作,振奋。

[5]不拘一格:不要拿各种资格、资历来限定人才的选拔和任用。

导读

这首诗是龚自珍辞官从京城返回家乡途中,路过镇江,观看当地迎神赛会时,应道士之请而作的。原列在《己亥杂诗》第一百二十五首。作者在原诗的末尾曾注明,当地百姓所迎的神有玉皇大帝、风神、雷神,所以整首诗就围绕着这三位神灵着笔,表面上写对神灵的赞颂和祈祷,实际表达的却是诗人期望社会变革的呼声。头两句说,依靠风神、雷神发威,才给大地带来勃勃生机,而如果没有风云、雷电的激荡,国家就笼罩在一片死气沉沉之中了,那样的社会状况是极其可悲的。后两句,诗人向着最有权威的玉皇大帝"祷告":您千万要振奋起精神,不要再拘泥于这样那样的资历、规则,要让那些有真正本领的人降生人间,开创一个充满生机的新局面。诗人之前长时间在京城做小官,始终没有机会表达其政治意愿,这次回乡,一路接触到好几位有才能、有见识的好友,内心多年酝酿的变革主张和久已郁积的愤懑情绪终于借着为神灵写"青词"的机会,喷薄而出。这首诗就像一声呐喊,在清王朝的统治愈加腐败衰弱的时候,预示了中国社会大变动的暴风雨即将到来。诗的前两句描写现状,以近切远,气魄很大;后两句表达政治意愿,直言不讳,切中时弊。整首诗抒情、议论相结合,既放言高论又深挚痛切,是一首非常成功的政治抒情诗。

吟诵提示

这是一首平起的七言绝句。按照吟诵平起格律诗的要求,各句吟诵停顿处分别在第一句的第二个字、第二句的第四个字、第三句的第四个字、第四句的第二个字以及韵字,简单地说就是"二四四二"及韵字。

诗篇格调高旷悲壮,情真意切,反映了诗人对朝廷虽有失望,但还没有绝望的矛盾心理。第一句的平声"州"字长吟,显示华夏神州地域辽阔;韵字"雷"也要长吟,表达期盼风雷激荡之意。第二句的平声"喑"字长吟,音调适当降低,把"万马齐喑"的含义表现出来。"究"是平声,又在第五个字的位置上,应该特别注意,把诗人对现实的不满强烈地表现出来,意思是不管你怎么说,"万马齐喑"都是不对的,都是值得悲哀的。韵字"哀"声音拖长,略带颤音以显本义。第三句的"公"字在节奏点上,自然可以长吟,显示殷切呼吁变革之意;"重"字适当长吟,声音略高,表达强调变革振兴国家之意。第四句的"拘"字在节奏点上,通过长吟强调不要墨守成规,要大胆地招贤纳士,为变法革新聚集人才。韵字"才"要拖长音,表达希望朝廷重用革新人才。吟诵时,"不""一""格"是入声字,音要短促,不可拖长。其中第三、第四句声音略高一些,突出诗人苦口婆心地呼唤变革之意。

后记

在《基础吟诵75首》即将付梓之际,我们还有几句话向读者说明。

一、本书是南开大学国家社科基金重大项目"中华吟诵的抢救、整理与研究"(理论研究部分)阶段性研究成果。

二、负责本书文字稿写作的是:

华　锋:河南大学教授、河南省吟诵学会会长。

曾令中:诗人书画家、北京九州国粹研究院副院长。

鲁庆中:郑州航空工业管理学院教授、美学博士、河南省吟诵学会理事。

耿纪平:河南大学副教授、文学博士、河南省吟诵学会理事。

三、负责本书诗词吟诵的是:

华　锋:河南大学教授、河南省吟诵学会会长。

杨　娜:开封市文化艺术职业学院教师、文学硕士、河南省吟诵学会理事。

冯安君:河南大学艺术学院副教授、河南省吟诵学会会员。

张　宁:文学硕士、河南省吟诵学会会员。

四、本书从策划到编辑出版都得到大象出版社王刘纯先生的帮助和指导,在此深表感谢!

五、本书的吟诵基本上使用的是华锺彦先生的"华调",古诗《江南》《长歌行》《古朗月行》三首的吟诵使用的是叶嘉莹先生的"叶调",特此声明,敬请读者注意。

六、本书部分插图由蒋朝显先生提供,在此深表感谢,并感谢所有关心、支持本书出版的各界朋友!

七、吟诵在传统社会中本来不是什么学问,但至现代,几近中绝。重新挖掘整理,需要积累经验。本书如有错误、不当处,恳请大家批评指正。

编　者

2017 年 3 月